Sommaire

Introduction

Malgré les apparences — le livre est écrit à la première personne et le narrateur se nomme Marcel, comme l'auteur —, *A la recherche du temps perdu* est un roman, une œuvre d'art. Nous avons donc choisi, dans ce « Profil », d'exclure toute référence biographique. Il est très long — plus de trois mille pages —, mais c'est son étendue qui lui donne précisément cette profondeur, cette complexité, voire cette ambiguïté qui font son charme. Il conviendra d'en dégager une signification. Il faut du temps pour entrer dans ce royaume du Temps, qui va de *Du côté de chez Swann* au *Temps retrouvé*. Il faut de la patience pour s'habituer à ce monde utopique et artificiel, à l'apparent désordre chronologique, dans lequel évoluent de nombreux personnages. Subtile, parfois alambiquée, l'œuvre d'emblée surprend, parfois décourage. Notre propos est donc d'en faciliter la lecture par une analyse relativement détaillée de son contenu, de sa nature et de ses intérêts, en la considérant uniquement comme une fiction. Comme il est impossible, dans le cadre de la collection « Profil », de parcourir tout l'espace et le temps imaginaires conçus par Proust, nous nous bornerons à présenter quelques-uns de leurs aspects à travers le premier et le dernier volume, sans pour autant négliger certaines caractéristiques proustiennes dans les livres qui les relient. Les fils conducteurs sont tissés avec tant de minutie qu'il nous faudra d'abord en faire apparaître la trame par un résumé. On s'efforcera d'y jalonner les vies, les événements qui s'y croisent sans apparent souci de continuité linéaire. On souhaite que nombre de nos simplifications soient, pour le lecteur de Proust, une aide autant qu'un encouragement. Il ne s'agit pas pour nous de briller mais d'éclairer.

Chronologie sommaire 

1871	: Naissance de Marcel Proust le 10 juillet à Auteuil.
1880	: Première crise d'asthme dans le Bois de Boulogne.
1882-1889	: Études au lycée Condorcet à Paris.
1889	: Il publie des articles dans la revue *Lilas.*
1889-1890	: Service militaire à Orléans.
1890	: Mort de sa grand-mère maternelle.
1891-1892	: Long séjour à Cabourg, sur la côte normande.
1893	: Quelques articles dans la *Revue Blanche.*
1893-1895	: Vie mondaine.
1895	: Licencié ès Lettres.
1896	: Publication de *Les plaisirs et les jours.*
1896-1904	: Proust travaille à un long roman (édité seulement, inachevé, en 1952, sous le titre *Jean Santeuil).*
1898	: Il prend une position ardemment dreyfusarde (l'Affaire Dreyfus commence en 1894).
1900-1906	: Abandon de toute tentative romanesque. Il se consacre à la traduction et à l'étude du célèbre critique d'art anglais, J. Ruskin (1819-1900). 1900 : Voyage à Venise.
1906	: Commence *A la recherche du temps perdu.*
1907	: Retour aux ouvrages (courts) de fiction pour *Le Figaro.*
1908	: Début d'une série de pastiches pour le même journal.
1908-1914	: Proust passe toutes ses vacances d'été à Cabourg.
1906-1913	: Il travaille sans relâche à la *Recherche.*
1913	: Début des démarches pour faire imprimer son œuvre. Plusieurs éditeurs refusent ce qui compte à cette date un millier de pages environ. Proust décide de faire imprimer son livre à ses frais; d'après l'auteur, il y aura trois volumes : 1. *Du côté de chez Swann.* 2. *Le côté de Guermantes.* 3. *Le temps retrouvé.* C'est l'éditeur Grasset qui publie le tome premier de *Swann.*
1914	: La Grande Guerre arrête cette publication. Proust en profite pour remanier et augmenter considérablement son œuvre jusqu'à sa mort.
1916	: Il rompt avec Grasset et publie chez Gallimard (aux éditions de la « Nouvelle revue française ») les deux tomes de *Du côté de chez Swann.*
1918	: La « N.R.F. » publie la suite : *A l'ombre des jeunes filles en fleurs.*

1919 : Proust s'installe dans un « hideux meublé », rue Hamelin, à Paris. Il s'y calfeutre et continue d'augmenter ce qui deviendra *A la recherche du temps perdu.* En novembre, il obtient le Prix Goncourt pour *A l'ombre des jeunes filles en fleurs.*

1920 : La « N.R.F. » publie *Le côté de Guermantes I.*

1921 : La « N.R.F. » publie *Guermantes II* ainsi que *Sodome et Gomorrhe I.*

1922 : La « N.R.F. » publie *Sodome et Gomorrhe II.* Proust meurt le 18 novembre sans avoir pu revoir les derniers volumes de *La recherche* avant la publication posthume.

Publications posthumes

A partir des nombreux « Cahiers » laissés par Proust à sa mort, corrigés ou non, la « N.R.F. » publie le reste de *La recherche.*

1923 : *La prisonnière.*

1925 : *Albertine disparue* (ou *La fugitive*).

1927 : *Le temps retrouvé.*

1952 : B. de Fallois publie des ébauches romanesques sous le titre *Jean Santeuil* (N.R.F.).

1954 : Pierre Clarac et André Ferré publient chez Gallimard, dans la « Bibliothèque de la Pléiade », en trois volumes, le Corpus, c'est-à-dire l'ensemble des textes que Proust entendait réunir sous le titre général de *A la recherche du temps perdu.* C'est le texte de base de cette œuvre : il mériterait une réédition critique accompagnée de nombreuses annotations susceptibles d'aider à sa lecture.

Références concernant ce « Profil » :

Sauf précision contraire, toutes les indications de pagination de notre étude renvoient à l'édition de poche « Folio » (Gallimard, 1980).

Sigles utilisés en abréviation des titres :

SW. : *Du côté de chez Swann.*

J.F.F. : *A l'ombre des jeunes filles en fleurs.*

C.G. : *Le côté de Guermantes* (tome I : C.G.*I.*, tome II : C.G.*II*).

S.G. : *Sodome et Gomorrhe.*

P. : *La prisonnière.*

A.D. : *Albertine disparue* (ou *La fugitive).*

T.R. : *Le temps retrouvé.*

Signification générale de l'œuvre 2

Un homme se penche sur son passé : un roman

Au sens strict, *A la recherche du temps perdu* n'a pas d'intrigue, et cependant c'est un roman, c'est-à-dire une suite d'histoires reliées par un fil conducteur, qui est ici tenu par un narrateur. C'est l'histoire de la naissance d'une vocation d'écrivain, ou, si l'on préfère, le roman du roman, ou du romancier. Ce long récit-remémoration est écrit à la première personne, sauf en ce qui concerne la deuxième partie de *Du côté de chez Swann* (*SW.*, pp. 227-450), mais le « je » du roman ne désigne pas obligatoirement l'auteur. Ce « je », c'est celui du « narrateur ». Il est d'ailleurs un personnage très complexe : c'est un narrateur enfant, puis adolescent, ou encore adulte qui tient la plume. Disons que c'est une voix narrative, une sorte de conscience qui remplace l'omniscience d'un romancier traditionnel comme Balzac. Il ne lui arrive que peu d'aventures : il observe et témoigne, il décrit et juge ; il découvre et modifie sa vision du monde au fil des années, et selon les lieux où il vit. S'il y a des ressemblances évidentes entre Marcel Proust l'écrivain et Marcel le narrateur — ressemblances qui ne font pas partie de notre étude —, il est non moins évident qu'il y a aussi un grand écart entre la vie, la pensée réelles de Proust et celles du Marcel qui raconte. Ce grand écart permet au romancier de construire un univers imaginaire qui caractérise fondamentalement, selon nous, le genre littéraire de *A la recherche du temps perdu.* Il permet aussi de jouer avec le temps, qui est l'un de ses thèmes cardinaux. La richesse de l'entreprise a été parfaitement définie par Antoine Adam lorsqu'il a fait remarquer que « cette œuvre, écrite dans une chambre de malade, est celle qui nous ouvre les plus larges perspectives sur la vie »[1].

L'histoire, partielle et par bribes, d'une époque

A travers quelques événements, c'est une peinture de la société française, plus particulièrement aristocratique, riche ou snob, de la fin du XIXe siècle jusqu'aux lendemains de la guerre franco-allemande de 1914-1918. Cette société, qui n'est du reste pas vue de manière particulièrement favorable, est décrite :

— à travers quelques lieux privilégiés comme les salons, les grands hôtels, les plages à la mode, les beaux quartiers de Paris ou « les mauvais lieux » ;

— à travers la « faune » qui fréquente ces lieux. *La recherche* peint des milieux avec leurs préjugés, leurs ridicules, leurs langages. La vision, là aussi, est volontiers humoristique. L'un des propos du roman est de décrire longuement la désillusion du narrateur qui, après avoir tant désiré fréquenter le « monde », achève son récit complètement désabusé.

L'histoire d'un homme qui trouve son salut dans l'Art

On vient de le souligner, le narrateur a tout fait pour s'intégrer au « monde ». Son récit est une suite de déceptions quant aux gens qui le constituent, quant aux amours qu'on peut y avoir. A la fin de *La recherche,* il a enfin la joie de pouvoir accomplir sa vocation d'écrivain. Il va chanter l'histoire de la naissance d'un roman ; le lecteur, logiquement, doit, aussitôt après le dernier mot du *Temps retrouvé,* reprendre la première et célèbre première page de *Du côté de chez Swann :* « Longtemps, je me suis couché de bonne heure... » Pour le narrateur,

1. *La Littérature française,* éd. Larousse, tome II, p. 257.

la boucle est bouclée : il est sauvé de l'univers mondain qu'il abandonne, par l'univers artistique qu'il va créer.

Enfin, c'est une histoire d'amours

Toutes sortes d'amours passent dans ce long roman, amours du narrateur, qui aime les jeunes filles, amours homosexuelles de nombreux personnages, comme Charlus et Robert de Saint-Loup, amours séniles, comme celles du duc de Guermantes — sans oublier les amours saphiques de Mlle Vinteuil, d'Andrée et d'Albertine, notamment.

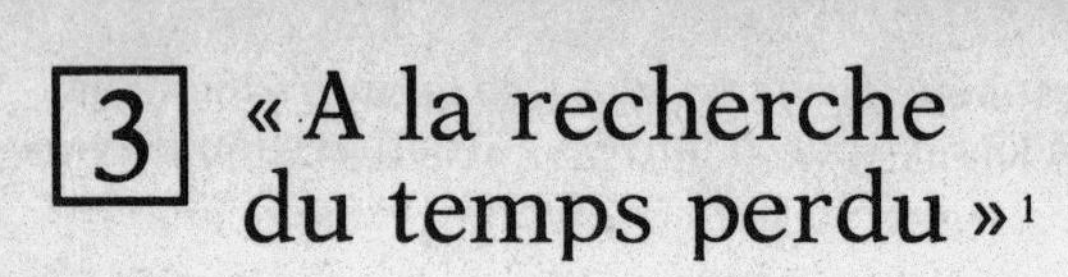

3 « A la recherche du temps perdu »[1]

RÉSUMÉ DE L'ŒUVRE

DU COTÉ DE CHEZ SWANN

Première partie : Combray

• *Un réveil à Tansonville*

Un matin de l'année 1902, alors qu'il vient de s'éveiller dans une chambre du château de Tansonville, où il séjourne à l'invitation de Mme de Saint-Loup, qu'il a aimée autrefois alors qu'elle n'était que la fille de M. Swann, un homme (nous apprenons qu'il se prénomme Marcel, cf. *P.*, p. 86 et 186) laisse vagabonder ses souvenirs d'enfant. Il venait alors en vacances à Combray, tout près de Tansonville. Il se remémore les difficultés qu'il éprouvait pour s'endormir, ses terreurs nocturnes. Puis il évoque les diverses chambres dans lesquelles il a dormi durant sa vie et auxquelles, chaque fois, il eut parfois grand-peine à s'habituer. Mais c'est avant tout vers Combray que, de Tansonville, il se penche sur son passé (p. 9-16).

• *Les habitudes à Combray*

Cela se passait, vers 1890, chez sa grand-tante Léonie. Le narrateur se souvient des projections d'une lanterne magique (p. 16-18), du baiser maternel qui, chaque soir, l'aidait à s'endormir (p. 18-21). On recevait parfois un voisin, M. Swann, mais l'enfant devait monter se cou-

1. Dans la mesure du possible, et notamment grâce aux déductions de Willy Hachez (*Bull. Amis de M.P.* de 1956 et de 1961), nous nous sommes efforcé de dater les événements du roman. Nous ne résumons en détail que *Du côté de chez Swann* et *Le temps retrouvé*.

cher avant le départ du visiteur, ce qui retardait fâcheusement le rite du baiser. Il se rappelle parfaitement que M. Swann seul était reçu, sa femme passant pour une ancienne cocotte, c'est-à-dire une femme légère, indigne des réunions dans le jardin de tante Léonie (p. 21-31).

- *Un soir douloureux*

Un soir, ce M. Swann, dont on ignore alors la brillante vie parisienne — nous apprendrons qu'il est membre du « Jockey-Club » et réside dans un bel hôtel particulier, quai d'Orléans (*SW.*, p. 291) — vient dîner à Combray. Sa présence rend impossible le cérémonial du baiser. On envoie le jeune Marcel se coucher, mais ce soir-là, il lui est impossible de dormir. Désespéré, il envoie un billet à sa mère pour la prier de venir l'embrasser. Françoise, la cuisinière, porte le message mais n'obtient aucune réponse. L'enfant décide alors d'attendre debout, près de la fenêtre, que sa mère monte se coucher elle-même (p. 31-44). Enfin, M. Swann s'en va. Les parents montent vers leur chambre. Sous le regard courroucé du père, le narrateur s'élance dans les bras de sa mère, et à sa grande surprise, il obtient qu'elle demeure avec lui. Une partie de la nuit, elle va lui lire à haute voix le célèbre roman champêtre de George Sand, *François le Champi* (p. 44-56).

- *Une madeleine dans du thé fait surgir le passé*

Bien plus tard, à une époque difficile à dater, mais qu'on peut situer peu avant la Grande Guerre de 1914-1918, le narrateur fait une curieuse expérience. Il a l'occasion imprévisible de voir surgir avec précision un passé qu'il pouvait croire à jamais disparu malgré les efforts de mémoire volontaire (p. 57). Le phénomène se passe un jour d'hiver, à Paris, lors d'un goûter : le délicieux plaisir qu'il éprouve à manger une petite madeleine avec une gorgée de thé le replace dans des sensations analogues à celles qu'il éprouvait jadis, notamment chez sa tante Léonie; son enfance remonte en lui. La petite ville de Combray surgit dans sa mémoire involontaire (p. 58-61).

• *Combray*

Voici l'église, les rues familières, la maison de tante Léonie, la chambre, voici la cuisinière Françoise et ses commentaires, voici les vitraux chatoyants, les tapisseries religieuses, les tombeaux d'anciens seigneurs, le clocher dont les ardoises flamboient en été comme un soleil noir (p. 62-84). La vie quotidienne est routinière. A Combray, la famille du narrateur connaît tout le monde, mais on reçoit peu. Parfois un snob honteux, l'ingénieur parisien Legrandin, la vieille amie de la tante Eulalie, ou monsieur le curé. Le dimanche, la table est garnie de somptueux menus. On ne reçoit plus jamais l'oncle Adolphe. C'est la faute de l'enfant qui avait, un jour de 1888, révélé à ses parents la présence chez ce parent d'une « dame en rose », une « cocotte » méprisable, qui est devenue la femme de M. Swann et la mère de Gilberte (p. 85-99). Même en été, la maison de tante Léonie demeure fraîche et le narrateur, grand lecteur, y peut se livrer à son vice sous un marronnier. Les romanciers, pour l'enfant, sont des fournisseurs de rêves (p. 104-109). Bergotte, par exemple, le grand écrivain à la mode, est pour lui l'artiste modèle, dont les phrases complexes, riches de digressions, enrichissent l'esprit (p. 115-119). M. Swann, qui est très écouté par les parents du narrateur, confirme les raisons qu'il a d'admirer Bergotte. Son scepticisme à l'égard de l'art en général choque un peu l'enfant, qui s'intéresse surtout à sa fille, Gilberte, laquelle est justement l'amie du grand Bergotte. Le voici prêt à aimer cette fillette qu'il n'a jamais vue (p. 119-123). Tous les jours de Combray ne sont pas ensoleillés et la pluie vient souvent heurter les carreaux (p. 124-125). Pour passer le temps, on cause. M. le curé vient entretenir tante Léonie et ses amies de ce qu'il croit savoir de l'église Saint-Hilaire, de ses abbés et de ses seigneurs, les Guermantes. Il débite des étymologies plus ou moins fantaisistes. Et la vie s'écoule ainsi selon un train-train qui n'est troublé que par les dévotions à la Vierge, au mois de mai (p. 126-137).

• *Promenades et visites*

Au cours d'une de ces soirées de printemps, la famille se promène. L'enfant admire les aubépines qui ornent l'église. Il rencontre un certain M. Vinteuil, ancien professeur de piano, accompagné de sa fille, qui lui apparaît comme un garçon manqué (p. 137-138). Au retour, on passe par la route du calvaire ; parfois on pousse jusqu'au viaduc, et l'on revient sous la clarté de la lune, par le boulevard de la gare. Le père feint de s'être perdu mais ramène finalement tout le monde à la maison, éclatant de rire lorsque l'enfant reconnaît la porte du jardin (p. 139-141). Tante Léonie, malade, ne peut participer à ces sorties. Pour dissiper la monotonie de sa vie cloîtrée dans sa chambre, elle s'invente des histoires. Elle règle minutieusement, tyranniquement, la vie de la maison, un peu comme Louis XIV avait « mécanisé Versailles », mais elle n'a cependant jamais lu les *Mémoires* de Saint-Simon (p. 141-145). La cuisinière, Françoise, tue la volaille avec cruauté, « martyrise » la fille qui l'aide, une fille qui ressemble, selon M. Swann, à la « Charité », une des trois Vertus peintes par Giotto (cf. *SW.*, supra, p. 100).

Parfois, le narrateur est invité. C'est ainsi qu'un soir, il va dîner chez M. Legrandin, qui pontifie devant l'enfant, s'exprimant avec emphase pour ne rien dire. C'est un snob (p. 145-147 et p. 151-161).

• *Les deux « côtés » de Combray*

Autour de Combray, il y a deux « côtés » pour les promenades : le côté de Méséglise et le côté de Guermantes. Le narrateur les croit séparés par une longue distance. On nomme aussi le côté de Méséglise le « côté de chez Swann », car pour aller jusqu'au bout, il faut passer par un chemin qui longe la propriété de M. Swann, à Tansonville. Ce chemin, on l'évite afin de ne pas rencontrer Mme Swann. Un jour, cependant, on décide de longer le parc de Tansonville parce qu'on a appris l'absence de Mme et de Mlle Swann, qui sont en voyage à Reims (p. 161-164). L'enfant découvre alors les merveilles florales du domaine : des lilas en fin de saison, des capucines, et un magnifique raidillon bordé d'aubépines. Ce jour-là apparaît aussi dans une allée du parc une fillette rousse dont le narrateur — nous sommes en 1892, il a seulement douze ans — devient amoureux sur-le-champ. C'est Gilberte, la fille de M. Swann. Elle se promène avec une dame en blanc, sa mère, et un monsieur, inconnu, qui regarde le narrateur avec des yeux exorbités. Cet inconnu est, selon son grand-père, l'amant d'Odette Swann. Au retour, on raconte évidemment la nouvelle à tante Léonie (p. 162 sqq.). On lui vante aussi l'allée d'épines roses, qu'elle n'ira pas voir. Au moment de regagner Paris, à la fin des vacances de Pâques, l'enfant rêve sur le nom de Swann et dit, en larmes, un adieu aux aubépines (p. 173-175).

Évoquant des souvenirs moins anciens, le narrateur note que c'est aussi du côté de Méséglise que se trouve la maison de M. Vinteuil, le musicien (p. 177). On racontait alors de vilaines choses sur les rapports entre sa fille et une amie plus âgée, mais M. Swann faisait, lui, l'éloge de M. Vinteuil (p. 176-180). A l'époque, tante Léonie est morte. Le narrateur, qui a environ quatorze ans — nous sommes en 1894 — continue seul ses promenades autour de Combray. Il rêve d'amour avec une saine paysanne, de plaisirs imaginaires à la manière de J.-J. Rousseau dans les bois de Roussainville (p. 188-189). C'est au même endroit, à Montjouvain, où M. Vinteuil est mort, qu'un peu plus tard encore, vers 1897, il est le témoin involontaire d'une scène de « sadisme » : il assiste à des débordements saphiques entre Mlle Vinteuil et son amie devant le portrait du mort, accompagnés de propos blasphématoires (p. 191-198).

L'autre côté de Combray, c'est le côté de Guermantes. On suit le cours de la Vivonne. On passe devant les ruines du château des anciens comtes de Combray. On longe des jardins de nymphéas, mais l'adolescent n'a pu, alors, remonter jusqu'aux sources de la rivière. Il les imagine comme l'entrée d'Enfers païens. Jamais non plus il n'atteindra le domaine des Guermantes, dont il se forge une image irréelle. Il rêve notamment de cette Mme de Guermantes dont on parle à Combray. Pour la première fois, il songe à devenir écrivain (p. 198-207).

- *Première joie d'écrivain*

Hélas ! il se croit privé de génie et renonce à jamais à la littérature, malgré les élans de son imagination. À l'église, il voit la véritable Mme de Guermantes. Déçu par la réalité, par cette femme rougeaude et sans élégance, sans aucun rapport avec la belle teinte orangée qu'il attachait à la syllabe « ante » de son nom, il s'invente alors une duchesse idéale et se met à l'aimer. Que faire d'autre sans disposition pour les lettres ? (p. 208-215). Il prend pourtant espoir un jour que, le docteur Percepied l'ayant pris à bord de sa voiture, il voit le mouvement apparent des clochers voisins de Martinville et de Vieuxvicq. Sur-le-champ, il note ce que lui inspire cette vision. C'est son premier texte littéraire. Il l'a conservé et le recopie tel qu'il fut écrit au moment où il rédige ses souvenirs. Il se remémore sa joie d'alors, suivie de la tristesse qui le prit à l'idée de rentrer à Combray (p. 215-219).

Deuxième partie : Un amour de Swann

- *Une réception chez les Verdurin*

Le mécanisme des remémorations a été déclenché (p. 220-224) ; le travail de l'écrivain aussi. Remontant loin dans le passé, au-delà même de sa propre naissance (vers 1880), le narrateur reconstitue l'histoire de la passion amoureuse du voisin de Combray, qui venait parfois chez la tante Léonie. Swann, alors, n'est pas encore marié, et le narrateur parle d'un « amour » parce que l'élégant mondain a eu beaucoup de femmes dans sa vie. Lorsque commence ce petit roman dans le roman, nous sommes à Paris, chez M. et Mme Verdurin, bourgeois très riches qui reçoivent beaucoup, qui se piquent de mécénat, notamment en faveur des peintres et des musiciens. Il est inutile d'être invité chez eux : on y a son couvert, ou non. Pour faire partie du « clan », il faut d'abord admirer, avec eux, un jeune pianiste qui joue Wagner (p. 227-228). Parmi les « fidèles », comme dit Mme Verdurin, il y a une femme du demi-monde, Mme de Crécy, que la maîtresse de maison appelle familièrement Odette. Ayant fait la connaissance d'un certain M. Swann, Odette de Crécy a obtenu de l'hôtesse l'autorisation de présenter son nouvel ami lors d'une soirée. Odette n'est pas vraiment le genre de femme qu'aime Swann. Il a, à cette époque, une trentaine d'années et une grande expérience amoureuse. Mais Odette a su flatter son goût pour la peinture, pour Ver Meer de Delft en particulier, le célèbre peintre hollandais sur qui il projette d'écrire une étude. Elle est à peine jolie mais a du piquant et elle a fini par absorber ses rêveries. Il s'est laissé entraîner, lui, l'homme du vrai monde parisien, dans le salon assez vulgairement fréquenté des Verdurin (p. 228-240).

Le narrateur nous reporte en 1879 — année du mariage de ses parents. Il reconstitue le milieu Verdurin de cette période qu'il n'a évidemment pas connue. Il mentionne, entre autres, un médecin, le docteur Cottard, le pianiste protégé, et un peintre, M. Biche, qui jouit de la faveur et des commandes de Mme Verdurin. Swann, présenté, fait la meilleure impression sur l'hôtesse. Il se montre charmant avec tout le monde, même avec un certain Saniette, archiviste assez timide, et souffre-douleur des Verdurin. Il est invité, avec Odette, à venir visiter l'atelier de M. Biche. Au milieu de ses invités, Mme Verdurin trône sur une sorte de siège-perchoir. Le narrateur en brosse un cruel portrait (p. 240-249).

- *La petite phrase de Vinteuil*

Assis près d'Odette, Swann a écouté avec émotion une sonate, qui le plonge dans une profonde méditation sur la nature de la musique, cet art sans matière. Remonte en lui le souvenir d'une phrase musicale entendue l'année précédente, qui lui donne l'impression de toucher d'invisibles réalités. C'est cette phrase qu'il vient d'entendre à nouveau. Il apprend qu'elle a été composée par un musicien nommé Vinteuil. Swann explique à Odette comment il est tombé amoureux de la « petite phrase ». Tout le salon commente. Puis Swann se rappelle qu'il connaît un obscur professeur de piano nommé aussi Vinteuil, mais il ne peut croire qu'il s'agit de l'auteur de la sonate, car on dit que ce Vinteuil est malade, voire menacé de folie (p. 249-257). Swann, ayant produit la meilleure impression sur les Verdurin, devient un « fidèle » ; cependant, un jour, ayant — sans vantardise aucune — fait état de ses hautes relations parisiennes, il perd une partie de son charme sur le « clan ». Il n'en continue pas moins à assister aux soirées, où il réentend la phrase de Vinteuil qui devient le morceau symbolique de son amour pour Odette (p. 257-263).

- *Faire catleya*

Swann reconduit Odette chez elle tant leur intimité s'est resserrée depuis cette soirée. Il y prend le thé, admire ses orchidées — des catleyas, surtout ; il y oublie son porte-cigarettes. Lors d'une deuxième visite, il est frappé par la ressemblance qui existe entre Odette et Zéphora[1], fille de Jéthro, une fresque de la chapelle Sixtine peinte par Botticelli. Il désire la jeune femme. Elle lui écrit de tendres billets, notamment une lettre, le 18 décembre 1879, jour de la « Fête de Paris Murcie » organisée au profit des inondés de la ville espagnole. Peu de temps après, Swann se rend chez les Verdurin, où il pense la retrouver, mais elle est déjà partie. Il part à sa recherche dans Paris, cependant que, dans le salon, on commente son amour avec sottise, vulgarité, voire méchanceté. Après de longs détours dans la nuit, il la croise par hasard dans une rue. Il la ramène chez elle en voiture. Un chaos la plaque contre lui, déplaçant les catleyas de son corsage. Swann replace galamment les fleurs, surmonte l'étonnante timidité qu'il éprouve devant elle, entre chez Odette et la possède charnellement le soir même. « Faire catleya » devient pour les deux nouveaux amants la métaphore qui signifie « faire l'amour ». La passion de Swann se développe. Il rejoint souvent Odette chez elle, rue La Pérouse. A sa demande, elle lui joue au piano la petite phrase de Vinteuil. Bien qu'elle joue assez mal, il écoute en extase : il est amoureux fou. Il méprise tout ce qu'on a pu lui dire sur cette jeune femme entretenue. Il ne voit pas sa vulgarité ; il

1. Zéphora est l'épouse de Moïse.

adopte certains de ses goûts ; il se met à porter un monocle. Il aime tout ce qu'elle aime, jusqu'aux Verdurin. Il croit qu'il est en train de vivre la « vraie vie » (p. 266-295).

• *Disgrâce de Swann chez Verdurin*

Chez les Verdurin, cependant, Swann n'est que toléré. Il n'est plus admis comme un vrai « fidèle » depuis qu'on flaire en lui un homme de culture. On lui préfère, par exemple, un comte de Forcheville, introduit dans le milieu, lui aussi par Odette. Sa disgrâce est proche. Lors d'un dîner où assistent l'inénarrable docteur Cottard, aux jeux de mots débiles, le professeur Brichot, empesé dans sa cuistrerie universitaire, pédant, vulgaire, et Forcheville, Swann, homme de goût, demeure de glace devant les « mots » de ces dindons, refuse de répondre aux questions venimeuses qu'on lui pose et ne prête pas la moindre attention à l'insignifiant Forcheville. Ce dernier quitte la soirée. Swann s'esquive peu après. Dans le salon, on le déchire à belles dents, mais il ignore encore que son comportement a signé sa disgrâce (p. 298-317).

• *Naissance de la jalousie*

Swann comble Odette de cadeaux, lui fait mener une vie de luxe. Il pense avoir découvert l'amour, mais Odette trouve des prétextes pour l'éviter. Le soupçon s'empare de Swann. Un soir qu'elle l'a prié de ne pas rester rue La Pérouse, il fait demi-tour, rempli de curiosité jalouse. Il voit une seule fenêtre éclairée, hésite à frapper, frappe, n'obtient pas de réponse. Il frappe une seconde fois, et se trouve nez à nez avec deux messieurs : il s'est trompé d'appartement. Sa jalousie grandit cependant et le met au supplice. Il revoit les regards qu'ont échangés Odette et Forcheville chez les Verdurin. Un après-midi, n'y tenant plus, il se rend au domicile de sa maîtresse, à une heure inhabituelle ; il sonne ; il croit entendre marcher dans la maison ; personne ne vient lui ouvrir. Il renouvelle cette visite une autre fois. Odette ouvre. A ses demandes d'explications, elle paraît embarrassée, ne nie pas sa présence la dernière fois mais n'explique pas pourquoi sa porte est restée close. Swann souffre, mais devant celle qu'il aime comme une réplique humaine du portrait de Zéphora par Botticelli, il ne cherche pas à approfondir. Il refuse même intérieurement de se demander pourquoi, après son coup de sonnette, il a entendu s'éloigner une voiture. Il s'en va, emportant quelques lettres qu'Odette lui a demandé de poster. L'une d'elles est pour Forcheville. L'enveloppe est si mince qu'il parvient à lire le texte du message. Il n'y trouve, d'ailleurs, rien de compromettant, mais la jalousie s'empare de tout son être (p. 317-337).

- *Swann évincé du milieu Verdurin*

Un mois après ces événements sentimentaux, Swann se rend — il ignore sa disgrâce, rappelons-le — à un dîner que les Verdurin donnent dans l'île des Cygnes du Bois de Boulogne, à Paris (p. 321). Au moment de quitter ses hôtes, il entend parler d'une sortie à Chatou[1] à laquelle il n'est pas convié. Il lui est impossible d'empêcher Odette de participer à cette sortie puisqu'elle est ramenée rue La Pérouse par les Verdurin et... Forcheville. Il se met alors à imaginer la gaîté « fétide » qui régnera à Chatou, avec les Cottard, les Brichot. Il se console en se disant que lui-même, l'amateur d'art éclairé, vit bien au-dessus de ces miasmes[2]. Mais comment soustraire Odette à ce monde ? Il découvre que la vraie vie n'est nullement celle qu'on mène chez les Verdurin. Dans un monologue intérieur, il s'abandonne aux injures contre cette mégère de Verdurin, cette entremetteuse dont le nom même est puant[3]. C'est un fait : il est exclu de ce milieu, qui va écouter à l'Opéra-Comique de la musique stercoraire[4]. En vain, il prie Odette de renoncer à la sortie de Chatou. Odette suit, au contraire, les Verdurin à Saint-Germain, Chatou, Meulan, Dreux, Compiègne, Pierrefonds. Les « fidèles » vont s'extasier devant les « déjections » de Viollet-le-Duc. Il songe à épouser Odette, puis la déteste. Il souhaite aller avec elle à Bay-

1. Chatou est situé près de Versailles.
2. Comme Baudelaire, dans *Élévation*.
3. De Verdurin, on passe, en effet, aisément, à purin !
4. Qui croît sur les excréments.

reuth pour entendre Wagner, mais Odette refuse tout. Malgré ses soupçons, ses souffrances, il est comme enchanté, prisonnier de cette maladie qu'on appelle l'amour (p. 338-365).

- *Odette s'éloigne*

Swann est incapable de voir la réalité : Odette s'éloigne de lui. Il va consulter l'oncle du narrateur, Adolphe, qui lui conseille de se libérer de cette femme, qu'il a bien connue durant une partie de sa vie galante à Bade, ou à Nice. Swann, au contraire, se construit un roman, dans lequel il transfigure celle qu'il aime toujours. Il s'assure l'aide du baron de Charlus — un frère de Basin de Guermantes — connu pour son peu de goût pour les femmes. Il le charge d'une amicale surveillance d'Odette. C'est Odette elle-même qui calme ses soupçons : lorsqu'elle ne peut le recevoir, c'est qu'elle sort avec une amie. Et Swann, aveugle, continue de se croire aimé (p. 366-377).

- *La soirée chez Mme de Saint-Euverte*

Malgré sa tristesse, vers le milieu de l'année 1880[1], Swann accepte de participer à la soirée musicale que donne la marquise de Saint-Euverte. Il est pourtant détaché de la vie mondaine, qu'il observe comme une « suite de tableaux ». Les invités sont aussi laids que les domestiques, malgré leurs monocles et leurs blanches cravates. Un des amis de Swann, romancier mondain, le marquis de Forestelle, dit avec emphase, qu'à travers son monocle, il « observe ». Au cours de la soirée, on joue du Gluck, du Liszt, du Chopin. Swann souffre de la médiocrité du milieu, mais il ne peut pas partir trop vite. Soudain, comme si Odette était apparue, le violon se met à jouer la sonate de Vinteuil, qui contient la fameuse « petite phrase ». Par un phénomène de mémoire involontaire remontent douloureusement en lui ses souvenirs de bonheur amoureux. Il revoit tout, les fleurs, les lettres, les toilettes, l'accent d'Odette lorsqu'il la

1. 1880 est l'année de naissance du narrateur (10 juillet). C'est aussi l'année de la naissance de Gilberte, fille naturelle de Swann et d'Odette.

retrouva dans la nuit sur le boulevard des Italiens. Et face à ce bonheur perdu, il se voit lui-même, malheureux. Il médite alors sur la puissance évocatrice du violon, sur la musique qui va jusqu'à rendre visible la tristesse, sur les musiciens doués du pouvoir d'éclairer « cette grande nuit impénétrée et décourageante de notre âme » (p. 412). Il se demande si une phrase musicale a une existence humaine, quasi matérielle. La « petite phrase » disparaît un moment ; le piano dialogue avec le violon ; puis elle reparaît, comme un arc-en-ciel, avant de s'évanouir. Swann vient de comprendre que jamais Odette ne lui reviendrait. Il va reprendre son étude sur Ver Meer ; mais comment quitter Paris si Odette y est ? (p. 380-417).

- *Révélations. Swann se croit délivré*

Une lettre anonyme lui parvient. Elle affirme qu'Odette n'est qu'une femme légère, qu'elle a été notamment la maîtresse de Forcheville, qu'elle pratique l'amour lesbien et qu'elle a même fréquenté des maisons de passe. Il décide d'interroger l'accusée, qui se dérobe au moment de jurer que tout cela est faux. Elle avoue seulement Forcheville. Elle le caresse, l'endort en faisant « catleya ». Puis elle part en croisière avec les Verdurin. L'amour de Swann s'affaiblit. Sa jalousie ne lui revient qu'en rêve. Avec une certaine « muflerie », il pense qu'il a gâché des années de sa vie avec une femme qui n'était même pas son « genre[1] » (p. 420-450).

1. en rêve

Troisième partie : Noms de pays : le nom

- *Premier amour : Gilberte*

Reprenant l'évocation des chambres qu'il a connues (*SW.*, p. 14 sqq.), le narrateur s'arrête plus particulièrement sur celle qu'il occupa, durant l'été de 1897, à Balbec, sur la côte normande. Legrandin avait parlé de cette station comme d'un Finistère. Swann en avait vanté

1. Ainsi s'achève *Un amour de Swann*, mais on sait que cette histoire ne s'arrête pas avec cette semi-rupture. Swann épousera Odette et légitimera leur fille, Gilberte.

l'église. La réalité déçoit le narrateur. Ses parents avaient aussi parlé de lui faire découvrir le nord de l'Italie. Les noms normands, les noms d'Italie, surtout Venise, Parme, Florence, par leurs sonorités avaient fait germer des images merveilleuses dans l'âme de l'adolescent. Hélas ! son état de santé l'avait obligé à rester à Paris, à y prendre un peu l'air. Sur les Champs-Élysées, par exemple, lieu peu exaltant parce qu'il n'est, en lui, rattaché à aucun souvenir de lecture.

Ces détails de sa vie passée sont antérieurs à son premier séjour à Balbec, en 1897. C'est en effet à la belle saison de 1895 que, sur ces Champs-Élysées peu attrayants — alors encore jardin public en partie — il va faire la connaissance de son premier amour, Gilberte, à l'occasion d'une partie de barres. Puis vient l'hiver, la neige, la glace sur la Seine. Il revoit la fillette un jour qu'il se rend sur le pont de la Concorde pour contempler le fleuve gelé. Il se met à l'aimer comme aime un adolescent — il a quinze ans. Gilberte lui offre une agate de la couleur de ses yeux et lui prête une brochure de Bergotte sur Racine. Tout ce qui se rapporte à Gilberte le ravit, son prénom, son nom : Swann. Du fait qu'il est le père de son amour, le M. Swann de Combray devient un personnage nouveau, dont il découvre la simplicité et la gentillesse. Gilberte a des aspects déconcertants. C'est avec une sorte de joie cruelle qu'elle lui déclare qu'elle ne reviendra pas aux Champs-Élysées avant le 1er janvier prochain (1896). Le jeune garçon espère, en vain, au moins une lettre. Il se console en lisant Bergotte, qui est l'ami de Gilberte. Il invente des dialogues avec celle qu'il aime et dont pourtant il se dit qu'elle est indifférente à son amour. Il est heureux de savoir que ses parents sont en excellents termes avec M. Swann. Il s'attarde, lors de ses promenades avec Françoise, du côté du Bois de Boulogne, dans les allées où il sait que passe Mme Swann, en grand équipage. Les gens la désignent encore par le nom qu'elle portait lors de son premier mariage : Odette de Crécy. C'est une des « beautés » célèbres de Paris, aussi bien par son élégance que par son inconduite. Lorsqu'il la voit passer, il la salue, alors qu'elle ne le connaît même pas.

- *Tout passe, hormis le souvenir*

Bien des années plus tard, en 1913, le narrateur revoit le Bois de Boulogne. C'est l'automne. Il admire les arbres, repasse par l'allée des Acacias, où triomphait la mère de Gilberte. Il revit ses années d'adolescence, mais tout a changé. Dans ce lieu de beauté, il n'y a plus que des automobiles. En vain, il espère revoir la belle Mme Swann : le bois est comme désaffecté. Tout ce qui lui reste, c'est le souvenir ; mais ce souvenir entraîne avec lui le regret parce que tout fuit, maisons, routes, avenues, comme les années (p. 453-504).

À L'OMBRE DES JEUNES FILLES EN FLEURS[1]

Nous sommes à la fin de 1895. Swann a épousé Odette. Ils invitent chez eux le narrateur qui peut ainsi voir Gilberte. Il est heureux. L'hiver arrive, mais il doit renoncer, pour des raisons de santé, à des voyages dans le midi de la France ou en Italie. Chez les Swann, il a la joie de rencontrer le grand écrivain Bergotte, mais il remet sans cesse son projet d'écrire. Il se brouille avec Gilberte et ne va plus au Bois que pour y voir passer Mme Swann. En été 1897 — il est âgé alors de 17 ans — il reçoit enfin l'autorisation médicale de se rendre à Balbec, sur la côte normande. Il observe tout, le monde du Grand-Hôtel, la campagne, la mer. Il fait la connaissance du marquis de Saint-Loup, militaire en garnison à Doncières, puis de son oncle Palamède, baron de Charlus, en qui il reconnaît l'inconnu du raidillon de Tansonville (*SW.*, p. 171). Sur la plage, il aperçoit une bande de jeunes filles joyeuses et sportives. Il fait connaissance avec l'une d'elles, Albertine, chez le peintre Elstir, dans l'atelier duquel il découvre un portait d'Odette Swann en travesti intitulé « Miss Sacripant », et daté d'octobre 1872. Le narrateur croit aimer Albertine, de qui il n'obtient rien ; la saison finie, il rentre à Paris.

1. A partir de *A l'ombre des jeunes filles en fleurs*, nous résumons à grands traits les volumes suivants, de manière à pouvoir détailler, comme il convient, la dernière partie, *Le temps retrouvé*.

LE CÔTÉ DE GUERMANTES

Le narrateur habite maintenant faubourg Saint-Germain, dans une partie de l'hôtel de Guermantes. Il désire voir de plus près sa nouvelle voisine, la duchesse de Guermantes. Son ami Saint-Loup refuse d'intervenir pour lui obtenir une invitation. C'est donc par le salon de Mme de Villeparisis qu'il entre dans le « grand monde ». Durant l'hiver 1898, sa grand-mère tombe malade et meurt peu après. Il revoit Albertine. Il est enfin invité chez les Guermantes par la duchesse elle-même, mais il est déçu par le mauvais goût et la médiocrité de ce milieu aristocratique, par son égoïsme et sa frivolité.

SODOME ET GOMORRHE

Par un léger retour en arrière, le narrateur conte comment, avant de sortir de chez lui, il a pu observer les manœuvres d'approche de deux homosexuels, le baron de Charlus et Jupien, giletier qui tient boutique dans la cour de l'hôtel de Guermantes. Il développe longuement (p. 23 à 42) la condition de ceux qu'il nomme les « hommes-femmes ». Puis reprenant le fil de l'histoire d'une soirée de l'été 1899, il décrit une réception chez le prince et la princesse de Guermantes chez qui il a été invité. Nombreuses conversations sur l'affaire Dreyfus, notamment des propos dreyfusards de Swann, sur l'amour avec le beau Robert de Saint-Loup. De retour chez lui, il attend Albertine. Elle vient, mais repart très vite. Pour la première fois, il songe à en faire sa captive.

Aux Pâques 1900, il retourne au Grand-Hôtel de Balbec. Un geste — le fait de se pencher pour délacer ses bottines — lui rappelle involontairement sa grand-mère disparue, dont le souvenir surgit comme une réalité et lui révèle les « intermittences du cœur » (p. 180). Il revoit Albertine et commence à avoir quelques doutes sur ses mœurs, d'autant plus que l'hôtel, le casino, la plage, le petit train, tout concourt à faire de Balbec le royaume de l'homosexualité féminine. Mais le baron de Charlus y révèle aussi, au grand jour, qu'il vit au pays de Sodome. C'est le début de ses relations avec un jeune pianiste nommé Morel : le narrateur l'entend jouer chez les Verdurin, qui ont loué, non loin de Balbec, le château de la Raspelière. Le narrateur est prêt à rompre avec Albertine, mais finalement décide de regagner Paris avec elle.

LA PRISONNIÈRE

Installée dans l'appartement parisien du narrateur, pratiquement prisonnière de son « amant », comblée de cadeaux, Albertine demeure mystérieuse. Le narrateur fait l'expérience douloureuse de la jalousie. Il l'interroge sans cesse, mais en vain, car « aucun être ne veut livrer son âme » (p. 178). Le grand écrivain Bergotte meurt au début de l'année 1901 ; voyant le trop bref article nécrologique que lui consacre *Le Gaulois*, le narrateur souhaite pouvoir un jour l'immortaliser dans un livre (p. 238). Un soir de février 1901, il va chez les Verdurin et écoute avec ravissement un septuor de Vinteuil. Il vit quelques moments exceptionnels dans la joie musicale et pense que l'artiste est « comme le citoyen d'une patrie inconnue » (p. 307). La soirée s'achève mal : Saniette est chassé par les Verdurin, et Morel, influencé par ses hôtes, rompt avec son protecteur Charlus. De retour chez lui, le narrateur songe à rompre avec Albertine, qu'il ne « possède » pas vraiment. C'est alors qu'il apprend que sa captive a pris la fuite.

ALBERTINE DISPARUE (OU « LA FUGITIVE »)

Le narrateur envoie son ami Saint-Loup à la recherche de son amie. En vain. Peu après, une lettre lui révèle qu'Albertine vient de se tuer lors d'une chute de cheval. Cette mort tragique ne dissipe pas pour autant sa jalousie. Il enquête sur le passé de la disparue. Peu à peu, il acquiert la certitude qu'elle était homosexuelle. Il lui faut de longs mois pour qu'il retrouve une certaine indifférence. Il voyage, se rend notamment à Venise, où il apprend le mariage de Gilberte avec Saint-Loup. De retour à Paris, il découvre avec une tristesse infinie que son ami Robert de Saint-Loup appartient aussi à la race des « hommes-femmes ».

LE TEMPS RETROUVÉ

Première partie

• *Séjour à Tansonville*

Lorsque commence le dernier volume de *A la recherche du temps perdu,* des années se sont écoulées depuis l'enfance du narrateur. Avec Gilberte de Saint-Loup, chez qui il séjourne à Tansonville, la propriété de M. Swann, il évoque le passé. Il refait les promenades du temps de Combray. Gilberte s'est enlaidie avec l'âge, mais c'est toujours celle des Champs-Élysées, car l'identité d'un être est faite d'une somme d'états successifs (p. 9). Contrairement à ce qu'il croyait, enfant, les côtés de Guermantes et de Méséglise sont proches et nullement inconciliables[1]. Il veut tout revoir. Il découvre, déçu, que les mystérieuses sources de la Vivonne ne sont qu'un lavoir. Tous deux revivent certains moments de leur enfance : le raidillon des aubépines, les jeux sur les Champs-Élysées. Gilberte lui parle de son mari, qui la délaisse. Robert lui-même vient à Tansonville et semble devenu insensible à l'amitié (p. 18). Il se croit aimé par le violoniste Morel, mais jamais il ne parle de son inversion sexuelle; il se veut militaire avant tout et discute volontiers de stratégie guerrière. Le narrateur interroge Gilberte sur ses rapports avec Albertine, mais son ancienne amie demeure insaisissable (p. 27-28).

• *Le journal des Goncourt*

Un soir, Gilberte lui prête un volume du *Journal* inédit des Goncourt. Il tombe sur un passage qui raconte une soirée chez les Verdurin, quai Conti, à Paris. Il y retrouve tous les gens qu'il croit connaître, Cottard, Brichot, par exemple, sous un jour inconnu de lui. Pris par le sommeil, il arrête sa lecture et se demande si la littérature, après tout, n'est pas capable de magnifier ce qui est médiocrité. Il continue de penser qu'il n'a aucune

1. Cette remarque de Gilberte a une valeur symbolique. Née Swann, du côté de Méséglise, elle est devenue une Guermantes par son mariage avec Robert de Saint-Loup, neveu de la duchesse.

disposition pour les lettres et, se sentant malade, il se réfugie dans une maison de santé (p. 46).

- *Paris dans la guerre*

Deux fois, durant la Grande Guerre de 1914-1918, il revient à Paris. La première fois se situe en août 1914[1], à l'occasion d'une visite médicale. Il rencontre Saint-Loup, revenant de Balbec, et son vieil ami Bloch, qui affiche un chauvinisme extrême. Saint-Loup, qui n'a pas été mobilisé, attaque ceux qui ne se battent pas, juge avec une sévérité inouïe le duc de Guermantes, son oncle, infidèle, brutal et avare (p. 65). Bloch, malgré sa myopie, a réussi à s'engager, et raille les galonnés, planqués dans les états-majors. En fait, le vrai patriote, c'est Robert, homosexuel viril, qui croit à l'aviation (p. 76).

En septembre 1914, le narrateur regagne sa maison de santé. Il y est traité par l'isolement, mais le médecin lui remet néanmoins une lettre de Gilberte qui, craignant les avions ennemis qui menacent Paris, a rapidement gagné Tansonville. Hélas, loin d'y être à l'abri, elle se retrouve au cœur de la bataille qui se déroule tout à côté, à La Fère, près de Laon[2]. Elle doit loger tout un état-major allemand — fort correct d'ailleurs (p. 81). Plusieurs mois après, lui parvient une lettre du front; Robert de Saint-Loup y fait l'éloge des gens du peuple qui combattent, héroïques; il annonce la mort du fils Vaugoubert, véritable héros, celle aussi de son valet de chambre.

Le deuxième séjour du narrateur à Paris se situe en 1916. Il y trouve une nouvelle lettre de Gilberte, qui, oubliant la première, prétend qu'elle est partie pour défendre Tansonville. Une terrible bataille s'est déroulée à Méséglise durant plus de huit mois. Le raidillon n'existe plus. L'immense champ de blé sur lequel il débouchait s'appelle désormais la « cote 307 ». Combray a été occupé durant un an, tantôt par les Allemands, tan-

1. Nous résumons ces passages dans leur ordre chronologique et non dans le déroulement du récit. On fera attention à la pagination.

2. Ce n'est que dans *Le temps retrouvé* que les lieux de l'enfance, Combray, Méséglise, sont géographiquement situés ainsi, près de Laon. Ce qui prouve bien le caractère de fiction de Combray.

tôt par les Français. Gilberte signale enfin qu'on a loué sa propre conduite héroïque et qu'on parle de la décorer (p. 85-87).

Saint-Loup arrive à Paris, le lendemain, pour une courte permission. Le narrateur a le sentiment de voir quelqu'un qui remonte du rivage des morts, une sorte de mort en sursis (p. 87-88). Dans le ciel nocturne de Paris, tous deux admirent le spectacle merveilleux qu'est la chasse de nuit (p. 89). Les sirènes ont quelque chose de wagnérien ; chaque aviateur s'élance ainsi qu'une Walkyrie. Au même moment, sous la terre, dans les refuges, on peut croiser les Guermantes en tenue de nuit (p. 89-91). Saint-Loup est devenu doctrinaire : il juge la tactique allemande, il critique violemment son oncle Charlus, monarchiste inpénitent (p. 91-93).

• *Le nouveau Salon Verdurin*[1]

Le soir de son nouveau retour à Paris, après le dîner, le narrateur sort pour entendre parler de la guerre. Un seul endroit s'impose, chez Mme Verdurin, devenue avec Mme Bontemps (la tante d'Albertine) une reine de Paris. Un Paris en guerre qui rappelle le Directoire. On rivalise d'élégance chez les couturiers pour préparer la victoire. On aide à l'effort de guerre en confectionnant soi-même des robes. On organise des « thés », où l'on débite les dernières nouvelles. Le dreyfusisme est accepté par tous. Les gens de plaisir semblent ignorer la guerre. Le Salon Verdurin est devenu une sorte de centre d'informations militaires. Morel, le violoniste, qui devrait être au combat, mais qui est déserteur, y vient jouer. Ce nouveau salon s'est transporté dans un des plus grands hôtels de Paris (p. 47-56).

• *Le nouveau Charlus*

Chemin faisant, dans le soir bleu de Paris sur lequel veillent les aviateurs, le narrateur arrive au pont des Invalides (p. 94). C'est la fin d'une journée d'été ; le ciel ressemble à « une immense mer nuance de turquoise ». Alors

1. Il faut maintenant, pour suivre la chronologie, revenir à la page 47.

qu'il atteint les boulevards, il distingue un vieil homme qui suit deux zouaves. C'est le baron de Charlus, ravagé par son vice au point d'avoir perdu ses allures de grand seigneur. Il vit dans un relatif isolement. La Verdurin le tient pour un « prussien ». D'une manière générale, le « monde » l'accuse de germanisme, y compris son ancien protégé Morel devenu chroniqueur (p. 96-100). Les deux hommes parlent tout en cheminant. Cottard, Verdurin sont morts. La guerre ne change rien pour les privilégiés de la fortune. Mme Verdurin sanglote en lisant le récit du naufrage du « Lusitania », la bouche pleine des croissants chauds du matin (p. 107). Charlus n'est pas un traître, mais il admire l'Allemagne et sa force militaire. En revanche, il ne comprend pas le stupide militarisme de Brichot (p. 113). Il bavarde sans fin sur la guerre. Le narrateur en profite pour ouvrir une longue parenthèse sur les rapports entre Mme Verdurin et Brichot, qui écrit dans *Le Temps* (p. 127-132).

Mais Charlus ne le laisse pas à ses rêveries. Il continue ses théories sur la guerre, sur le rapport entre la guerre et les œuvres d'art, comme Reims, détruite, comme les vitraux de Combray, massacrés (p. 132-135). Le narrateur lui répond alors que « les cathédrales doivent être adorées jusqu'au jour où, pour les préserver, il faudrait renier les vérités qu'elles enseignent » (p. 135). Au-dessus d'eux brille une lune sereine, et volent les aviateurs que Charlus admire, qu'ils soient Français ou Allemands (p. 139-144).

Une anticipation de deux ou trois ans annonce que Morel sera un jour terrifié par les menaces de Charlus, devenu presque octogénaire ; une autre donne le texte d'une lettre dans laquelle, dix ans avant sa propre mort, le baron reconnaîtra avoir eu envie de tuer celui qu'il avait tant aimé (p. 145-148).

• *Paris ou Pompéi*

Le narrateur revient au présent, c'est-à-dire à 1916 et à sa marche sur les boulevards en compagnie de son vieil ami. Charlus compare le Paris de la guerre à Pompéi. Nos fêtes et nos danses sont peut-être nos « derniers jours de Pompéi », avant l'écrasement sous le feu du Vésuve allemand. Dans les caves, comme firent les prêtres d'Herculanum, les gens emportent ce qu'ils ont de plus précieux. Puis le baron cite la célèbre inscription trouvée sur un mur des ruines de Pompéi : *Sodoma, Gomora*. Il s'éloigne, méprisant notre dilettantisme face au « soldat boche », sain et fort. Le narrateur sait, bien qu'il n'en ait pas parlé, que le baron a transformé son hôtel en hôpital militaire, prouvant ainsi son bon cœur. Ce qui ne l'empêche nullement de lorgner deux beaux et grands Sénégalais qui passent (p. 148-151).

- *Un hôtel très spécial*

Parce qu'il a soif, et après avoir un instant hésité, le narrateur pénètre dans un hôtel d'où fusent d'étranges propos faisant penser à la préparation d'un crime. On lui attribue une chambre. Il entend une théorie sur l'amour vénal, voit un homme qui arrive, chargé de chaînes. On le change de chambre. Il se rafraîchit, puis monte à l'étage supérieur d'où viennent des plaintes étouffées. Par un œil-de-bœuf, il aperçoit un homme enchaîné que l'on frappe : il s'agit du baron de Charlus à qui, en fait, appartient la « maison », laquelle est dirigée par Jupien. On y pratique toutes les formes de masochisme (p. 154-162). Jupien confie au narrateur à quel point il lui faut mentir pour faire croire au baron qu'il est battu, menacé, injurié par de vrais apaches. Les « tortionnaires », en réalité, sont souvent de simples militaires en permission, ou des gens du peuple cherchant à gagner quelques sous. C'est au milieu de ce harem particulier que Charlus prend son plaisir. Le baron s'en va ; le narrateur voit entrer un prêtre. C'est alors qu'éclate une bombe sur Paris (p. 163-180). Les tirs de barrage commencent. Les rues se vident. Le narrateur fuit, mais se perd dans l'obscurité comme au fond d'un labyrinthe. Chez Jupien, personne ne se trouble ; les nouveaux « Pompéiens » de son hôtel descendent calmement dans les couloirs du métro, où se livrent des rites secrets, dignes des catacombes (p. 180-184).

• *Mort de Saint-Loup*

Le narrateur regagne enfin son appartement. Il médite sur le curieux métier des prostitués mâles, sur le fait que pour Charlus ou pour Jupien, par exemple, il n'y a aucun rapport entre la moralité et certaines actions. Les aberrations sexuelles n'excluent pas pour autant tout à fait l'amour. Au fond de l'être du baron, il y a un rêve de virilité (p. 184-190). Dès qu'il rentre, le narrateur est accueilli par Françoise, qui le croyait mort. Elle lui apprend que Saint-Loup est passé pour voir s'il n'avait pas oublié sa croix de guerre. Or le narrateur sait qu'on en a retrouvé une, par terre, chez Jupien, de chez qui il avait vu sortir rapidement un officier (cf. p. 153). Quelques jours plus tard, avant de repartir pour sa maison de santé, il apprend la mort de son ancien ami, tué au front en protégeant la retraite de ses hommes (p. 190-198). Il éprouve un vif chagrin et revit leurs souvenirs communs. On enterre Robert de Saint-Loup à Saint-Hilaire de Combray. Morel, d'abord arrêté comme déserteur, est finalement envoyé au front, s'y conduit en héros, et en revient avec la Légion d'honneur (p. 205-206). Avant de quitter Paris, le narrateur médite sur l'écume de niaiserie qui surnage après les guerres : le « Bloc National » permet, par exemple, de repêcher toutes les canailles de la politique (p. 207).

Deuxième partie

• *Paris en 1919*

La nouvelle maison de santé ne l'a pas guéri, mais le narrateur revient cependant à Paris, en 1919, toujours désespéré de se trouver sans dons littéraires (p. 207-208). Dans le train qui le ramenait chez lui, il a même adressé mentalement un adieu désespéré aux beaux arbres, à la belle nature dont il ne sait pas dire les splendeurs. Et la consolation que procure l'observation des hommes ne saurait remplacer l'inspiration du poète (p. 208-209).

Malgré sa longue absence, on ne l'a pas oublié. Des invitations lui parviennent. L'une d'elles le prie de participer à une matinée chez le prince de Guermantes. Ce nom, pour lui, a conservé ses prestiges, et il décide de se rendre en voiture chez le prince, qui habite maintenant avenue du Bois de Boulogne. Il repasse avec émotion par des rues pleines de souvenirs (p. 211-213). D'une autre voiture, descend, aidé par Jupien, un très vieil homme voûté, à la barbe et aux cheveux blancs : c'est le baron de Charlus, convalescent d'une attaque d'apoplexie. Ses yeux sont comme fixes ; ils ont perdu leur éclat. Il est, en somme, dans l'antichambre de la mort, mais n'a perdu ni son intelligence ni sa mémoire. D'une voix affaiblie, il évoque le passé sans tristesse, se livrant à une sorte d'appel des morts. Puis il demande à s'asseoir et tire de sa poche ce qui semble un livre de prières (p. 213-218). Ayant constaté cette déchéance qui sent le vieillissement et la maladie, le narrateur reprend sa route avec la conscience de s'abandonner malgré tout à un plaisir frivole. Il médite tristement sur son impuissance littéraire lorsque, parvenu dans la cour de l'hôtel des Guermantes, commence une série de phénomènes qui vont lui rendre la félicité (p. 219-222).

• *Chez la nouvelle princesse de Guermantes*

Nous apprendrons plus tard que le prince de Guermantes, devenu veuf, a épousé Mme Verdurin devenue veuve (cf. p. 329). Lorsqu'il pose le pied dans la cour de son hôtel, le narrateur bute sur des pavés inégaux : aussitôt apparaît Venise. Il vient de retrouver l'extase de son enfance lorsqu'il goûtait la saveur particulière d'une madeleine. Il se sent comme sauvé. D'autant plus que d'autres phénomènes analogues vont entretenir un long moment cette précieuse mémoire involontaire : le bruit d'une cuiller sur une assiette, l'empesage d'une serviette qu'il porte à ses lèvres, un livre, *François le Champi*, qui tombe sous ses yeux. Il revoit soudain la plage, la digue de Balbec. Il se rend compte que certaines choses ont un pouvoir analogue à celui de la musique : elles font respirer un air d'autrefois. Et la joie de ceux qui éprouvent ce pouvoir est grande parce que « les vrais paradis sont les paradis qu'on a perdus » (p. 226-227).

Que se passe-t-il ? Eh bien, le présent et le passé se mêlent et permettent de « jouir de l'essence des choses, c'est-à-dire en dehors du temps » (p. 228). Le narrateur vient de goûter, ainsi qu'il le dit lui-même, « un peu de temps à l'état pur » (p. 229). Seul l'artiste peut utiliser ces contemplations, en déchiffrant tous les signes que sont un clocher, une fleur, un caillou, qui cachent des vérités plus profondes que celles que nous révèle l'intelligence. Ces vérités, ce sont les vérités de la sensation, de la perception, indifférentes au morcellement des moments et au déplacement des lieux. Le moyen d'utiliser ces signes, c'est-à-dire ce que nous voyons du monde sans nécessairement regarder (comme on peut entendre sans écouter), c'est l'œuvre d'art (p. 237).

- *Théorie de l'œuvre d'art*

Il est un livre encore plus difficile à déchiffrer, c'est le livre intérieur. Il est fait de signes inconnus, non tracés par nous, qui gisent dans notre inconscient. C'est pourquoi l'écrivain n'est pas tout à fait libre devant son œuvre. L'art prétendu réaliste est mensonger, et ses théories sont frivoles. L'art véritable tient dans la qualité de son langage et n'est, en définitive, que la traduction du livre des signes du monde et de nous-mêmes (p. 241). Et cette traduction n'est pas reproduction de la réalité brute, mais renaissance d'impressions anciennes, enfouies dans les profondeurs de l'être, grâce à certains moments privilégiés (p. 244-248). Ce que nous appelons la réalité n'est qu'un « certain rapport » entre les sensations et les souvenirs. L'écrivain n'en rend la vérité qu'à partir du moment où il pose ce rapport grâce à la *métaphore*, la faisant échapper au temps.[1]

1. Afin de clarifier cette formule un peu obscure, prenons deux exemples dans le roman. D'abord, un passage de *Combray*, où le narrateur groupe divers ordres de sensations. C'est le printemps. L'enfant attend, dans une pièce chauffée, le moment d'entrer chez tante Léonie pour la saluer. Le feu flambe, écrit Proust, « cuisant comme une pâte les appétissantes odeurs dont l'air de la chambre était tout grumeleux et qu'avait déjà fait travailler et « lever » la fraîcheur humide et ensoleillée du matin, il les feuilletait, les dorait, les godait, les boursouflait, en faisant un invisible et palpable gâteau provincial, un immense « chausson »... (*SW.*, p. 64). Ensuite, ce moment de la soirée chez Mme de Saint-Euverte, où le narrateur entend la petite phrase de la sonate de Vinteuil et où reviennent se mêler dans sa mémoire involontaire tous ses souvenirs d'amour avec Odette « invisibles dans les profondeurs de son être » (cf. *SW.*, p. 407). Dans les deux cas, il y a bien ce mélange métaphorique que Proust nomme la vraie réalité.

L'art est donc le seul moyen de retrouver « le temps perdu ». Sa matière, c'est la vie même de l'écrivain[1]. En ce qui le concerne, ce qui la résumerait le mieux serait le titre : « Une vocation » (p. 262). La matière comprendrait aussi les souvenirs, la vie des autres surprise dans leurs gestes et leurs propos, la participation des morts, car « un livre est un grand cimetière » (p. 267). L'œuvre devient ainsi consolatrice, mais il faut se presser de l'écrire car si l'art est long, la vie est courte (p. 272-275). Enfin la matière de cette œuvre est indifférente. On peut, par exemple, y traiter de l'amour en général par le biais de l'homosexualité (p. 275); on peut utiliser les rêves les plus absurdes (p. 277). Ces rêves apportent des clartés aveuglantes et convainquent « du caractère purement mental de la réalité » (p. 280). Au fond, se dit le narrateur, une grande part de son expérience lui vient de Swann, qui fut pour lui un initiateur (p. 282). Mais si Swann a aimé l'art, il n'a pas vraiment vécu, n'ayant rien écrit, et « la vraie vie, la vie enfin découverte et éclaircie, la seule vie par conséquent réellement vécue, c'est la littérature » (p. 257).

• *Les fantoches de la matinée Guermantes*

Après avoir ainsi médité, en attendant que s'achève un morceau de musique, le narrateur pénètre dans les salons du prince de Guermantes. Il y a vingt ans qu'il a rendu visite au prince pour la première fois. Ce qu'il découvre est stupéfiant. Les invités ont l'air d'être déguisés, maquillés en vieillards. Se révèlent, en une minute, les terribles effets du temps. Il reconnaît à peine ses anciennes relations. Le prince porte barbe blanche et se traîne. La duchesse de Guermantes est méconnaissable. On l'appelle « mon vieil ami », et il découvre que lui aussi, il a vieilli. Mais que d'horreurs : des hommes sont impossibles à identifier; des femmes aussi. La nouvelle princesse — ex-Mme Verdurin — a des cheveux blancs couleur de neige sale. Presque tous ont sur le visage ces

1. C'est par exemple, ainsi que Proust le dit dans *Jean Santeuil*, « sa grande ombre de petit enfant » (Ed. Pléiade, p. 248).

taches brunes qui annoncent la sénilité[1]. Peu de gens ont échappé au Temps. Odette, peut-être ; si elle n'est plus l'élégante cocotte de l'allée des Acacias, au Bois, elle semble avoir rajeuni, transformée en une sorte de « rose stérilisée » (p. 285-325).

Tous ces survivants de l'histoire portent à méditer sur la vieillesse, sur la mort inexorable. Rachel, l'ancienne prostituée devenue actrice, est une affreuse vieille femme. Elle récite pourtant encore des poèmes pendant qu'on débine la Berma, abandonnée de tous après avoir été adulée. Le duc de Guermantes séquestre pratiquement Odette, de qui il est tombé amoureux, et cette passion sénile lui fait perdre la présidence du « Jockey-Club ». La duchesse est devenue médisante (p. 325-417).

Oui, décidément, il faut écrire. Et vite, car le temps échappe. Le grand livre rêvé ne sera peut-être jamais achevé, comme certaines cathédrales (p. 423), mais il l'écrira par fragments, par couches de morceaux divers, comme Françoise faisait son admirable bœuf en gelée (p. 426). Il faut œuvrer avant que ne se ferme, comme dit Hugo, « la porte funéraire »[2] (p. 433). Il a déjà perdu beaucoup trop de temps dans les plaisirs mondains. Sans doute lui sera-t-il impossible de rendre les cent visages à mettre en scène, mais il existe une universalité des êtres humains[3], qui permet d'élucider la vérité de chacun.

- *Le narrateur décide d'écrire*

Le temps semble avoir disparu. Le narrateur entend le pas de ses parents, à Combray, reconduisant M. Swann. Les masques qui l'entourent peuvent être baissés : il va peindre l'humanité dans l'espace et dans le temps : il va écrire *A la recherche du temps perdu.*

1. Taches que les médecins appellent la « crasse ».
2. In *Tombeau de Théophile Gautier* dans *Toute la Lyre*, IV, 36, une des rares allusions de Proust oubliées par Jacques Nathan, dans ses *Citations, références et allusions de Marcel Proust*, éd. Nizet, rééd. 1969.
3. Cf. Montaigne : « Chaque homme porte la forme entière de l'humaine condition » (*Essais*, III, 2).

4 Structure de l'œuvre

UN APPARENT CHANTIER

Proust, on le sait, est mort avant d'avoir achevé l'œuvre dont il rêvait. Peut-être l'eût-il encore surchargée de significations, d'interprétation des « signes », comme il dit dans *Le temps retrouvé* (*T.R.*, p. 236-237-238-260) ? L'œuvre, il l'a comparée lui-même à une cathédrale par la composition (*T.R.*, p. 423), mais il a eu la prudence de dire que « dans ces grands livres-là, il y a des parties qui n'ont eu le temps que d'être esquissées (...). Combien de grandes cathédrales restent inachevées ! » (*T.R.*, p. 423). Il faut donc lire *A la recherche du temps perdu* comme on parcourt un chantier. On part du porche de Combray, dans *Swann*, et l'on va jusqu'à l'abside paradisiaque, c'est-à-dire jusqu'au chœur du *Temps retrouvé*, qui donne les clefs des aventures passées. Les personnages y sont métamorphosés, regroupés en une sorte de final de la décrépitude et de la mort. L'ensemble du roman nous conduit de l'enfance de Combray à l'épilogue de la sénilité dans l'hôtel du prince de Guermantes.

DES SYMÉTRIES

Mais il y a d'autres symétries dans cette œuvre touffue ; la masse des scènes, des interminables conversations intermédiaires, la juxtaposition des lieux, les digressions finissent par faire oublier la construction générale de l'œuvre. En se bornant aux deux volumes que nous étudions plus particulièrement, il faut souligner, comme l'a remarquablement fait Jean Rousset[1], que tous les récits du narrateur, de *Swann* au *Temps retrouvé*, sont comme encadrés par deux extases de mémoire involontaire[2].

1. In *Forme et Signification*, éd. Corti. 1962, p. 136-150.
2. Voir dans *SW.* la célèbre histoire de la madeleine (*SW.*, p. 58-61), et dans *Le temps retrouvé* les remémorations nées de certaines particularités de l'hôtel du prince de Guermantes (*T.R.*, p. 226-227).

STRUCTURE EN CATHÉDRALE

De manière schématique, on peut dire qu'une fois franchi le parvis du sommeil, au début de l'œuvre (*SW.*, p. 11-12), retrouvant les années et les mondes, nous passons avec le narrateur sous le portail qui rassemble les lieux, les « côtés », comme on dit à Combray, les personnages, le tout n'étant pas encore bien précis. Puis nous entrons dans l'édifice, dans la grande nef du roman — cathédrale. On y lit, comme sur des vitraux, l'aventure mondaine, celle des amours enfantines du narrateur et de Gilberte, du narrateur et d'une duchesse, celle de M. Swann, celles des salons aux dames titrées, celle des vices humains — sodomie, saphisme et sadisme. Autant de scènes qu'il y aurait de « chapelles » latérales dans une « cathédrale ». Puis on atteint, dans la lumière de l'abside, l'art divin, « *pantocrator* », c'est-à-dire « tout-puissant », comme on disait pour Zeus et le Christ, le temps retrouvé qui n'est, après tout, qu'une forme de l'éternité, c'est-à-dire la clef du Paradis de l'écrivain. On peut même dire que le « temps retrouvé » est une sorte de couronnement en jugement dernier : il y a l'élu, le romancier qui répond enfin à l'appel, à la vocation, il y a l'explication des thèmes, qui dénoue le mystère de toutes les vies évoquées durant le temps du roman[1].

STRUCTURE CYCLIQUE

La structure de *A la recherche du temps perdu* est un cercle dont la fin du tracé engendre le commencement. C'est à l'intérieur dudit cercle que le narrateur enferme toutes ses composantes. Isolant, comme il dit, « le temps à l'état pur » (*T.R.*, p. 229), parvenant enfin à jouir de « l'essence des choses » (*T.R.*, p. 228), il y enferme les choses et les êtres dont le destin est la fuite, l'écoulement. Proust lui-même disait, dans une lettre à Paul Souday, critique du journal *Le temps* : « Le *dernier chapitre* du dernier volume a été écrit tout de suite après le *premier chapitre* du premier volume. Tout l'entre-deux a été écrit ensuite »[2] (18 décembre 1919).

1. Enfin, comme il y a une crypte à Saint-Hilaire de Combray (*SW.*, p. 78), il y a une sorte de monde souterrain — et diabolique — dans *La recherche*, mais nous en dirons quelques mots plus loin (cf. infra, p. 59).

2. In *Lettres choisies*, éd. Nouveaux class. Larousse, 1973, p. 89.

5 Les personnages

Le roman du XIXe siècle, en général, nous a habitués, aussi bien que les œuvres romanesques antérieures ou encore *Les caractères* de La Bruyère, les tragédies et les comédies du XVIIe siècle, à considérer un personnage comme un type humain. Nous rencontrions un avare, un misanthrope, un barbier de Séville, ou un distrait, une précieuse. Au XIXe siècle, on dispose, dans Balzac, Flaubert ou Stendhal, d'une riche collection de personnages ainsi définis, qu'il s'agisse de Vautrin, de Homais ou de Julien Sorel. Le système de Proust est différent. Certes, il y a dans son long roman des types : Legrandin, le snob, Cottard, le médecin imbécile, Saniette, le souffre-douleur des Verdurin. Ils ne sont que cela, tout de suite, et d'un bout à l'autre de l'œuvre. Mais un personnage *proustien*, c'est quelqu'un de beaucoup plus difficile à cerner.

LE PERSONNAGE PROUSTIEN

C'est d'abord un personnage dont personne, pas même le romancier, ne connaît le « petit tas de secrets », selon la célèbre formule de Malraux[1]. Le narrateur dit que « les actions déconcertantes de nos semblables, nous en découvrons rarement les mobiles » (*P.*, p. 382). Toute l'histoire de *La prisonnière* dit assez l'incommunicabilité des êtres, donc l'instabilité de la vision que nous avons des autres : le narrateur ne saura jamais qui fut vraiment Albertine, et nous non plus.

Un personnage *proustien*, c'est ensuite un « simulacre », comme on dit aujourd'hui pour désigner la représentation figurée de quelqu'un ou de quelque chose,

1. Personnage lui-même très équivoque, qui pensa peut-être à lui en écrivant cette formule dans *Les noyers de l'Altenburg* (reprise dans *Le miroir des limbes*, Pléiade, 1976, p. 26), formule relative au fait que le romancier ne peut offrir que le reflet, l'apparence de ces « secrets ».

fruit de l'art donc d'une parole artificielle et libre, et le romancier n'en dévoile que lentement ce qu'en sait, ce qu'en apprend son narrateur. Proust procède, avec ses principaux héros, Swann, Odette, Saint-Loup, la duchesse de Guermantes ou Charlus, à un dévoilement différé. Ils sont d'abord perçus, avec leurs masques (les « cent masques » dit-il dans *T.R.*, p. 439), qu'il baisse progressivement. Il y a révélation lente, comme on dirait en photographie, le temps étant le principal révélateur.

En ce sens *La recherche*, c'est l'histoire des effets de la durée sur la connaissance des personnages, avec tout ce que cela peut comporter de changements, d'inversions, d'erreurs rectifiées. On rappelle que le titre du roman — l'un des titres du roman — devait être « *Les intermittences du cœur* » (*S.G.*, p. 180). Cette expression est utilisée comme titre d'une partie de *Sodome et Gomorrhe* (*S.G.*, p. 174). Le phénomène, l'auteur l'explique ainsi : nous croyons « que tous nos biens intérieurs, nos joies passées, toutes nos douleurs sont perpétuellement en notre possession » (*S.G.*, p. 180). Or, il n'en est rien. Certains souvenirs affectifs tombent dans l'oubli. Ils ne réapparaissent, ils ne redeviennent disponibles que dans certaines circonstances involontaires, « si le cadre de sensations où elles sont conservées (ces douleurs, par exemple) est ressaisi » (*S.G.*, p. 180-181). C'est le cas, par exemple, lorsque le narrateur, en vacances à Balbec en 1900, retrouve involontairement le souvenir de sa douleur au moment de la mort de sa grand-mère. Cette remontée du chagrin à la conscience est déclenchée par un simple geste : le fait de délacer des bottines (*S.G.*, p. 181).

L'on nous permettra de souligner que, sur ce point comme sur tant d'autres, Proust est au plus près de nos vies réelles. Même si le psychologue Ribot avait, dès 1884, mis en valeur le fait qu'une personne n'est qu'une suite d'états variables, il n'en reste pas moins que c'est Proust qui, le premier, consacra une œuvre de trois mille pages à ce qu'il nommait la « psychologie dans le temps[1] ». Nous sommes loin de ces « herbiers » humains

1. *Albertine disparue*, p. 195.

où sèchent tant de héros figés caractériellement dès les cinquante premières pages. D'autant plus que Proust multiplie les découvertes, les surprises et les révélations en les présentant du point de vue de son narrateur, bien entendu, mais aussi du point de vue des personnages entre eux.

LA CHUTE DES MASQUES

Le plus bel exemple qu'on puisse donner de ces masques qui tombent successivement est celui d'Odette. Le lecteur la découvre d'abord à travers le regard d'un enfant : c'est « la dame en rose » rencontrée chez l'oncle Adolphe dans *Swann.* Puis c'est Mme Swann, la voisine de Combray que l'on n'invite jamais en raison de son inconduite — elle passe pour la maîtresse du baron de Charlus ! Puis c'est « Miss Sacripant », l'esquisse d'Elstir que le narrateur découvre dans l'atelier du peintre. Et puis, c'est la divorcée du comte de Crécy, la veuve de Swann qui épouse l'imbécile Forcheville, la mère de Gilberte, la dernière maîtresse (?) du vieux duc de Guermantes. Et l'on pourrait continuer ainsi en relevant ce que Swann voit en elle, ou Françoise, ou le narrateur, rien que dans *Du côté de chez Swann.* L'autre exemple illustrant parfaitement la « psychologie dans le temps », c'est Charlus, le baron, dont on a dit qu'il cachait toujours une partie de lui-même. Nous reviendrons sur ces autres spécimens de l'univers proustien. Cet univers est beaucoup plus varié que ne le disent certaines critiques. Il va de la noblesse jusqu'au petit peuple, en passant par la grande bourgeoisie, le tout étant transfiguré soit par la vision d'un enfant, soit par celle d'un adolescent, avant d'être démystifié, au fil des pages, notamment dans *Le temps retrouvé.*

Notons, enfin, que Proust lui-même, dès 1913, avait annoncé dans une interview : « Tels personnages se révéleront plus tard différents de ce qu'ils sont dans le volume actuel[1], différents de ce qu'on les croira, ainsi qu'il arrive bien souvent *dans la vie*[2]. »

1. Il s'agit de *Du côté de chez Swann.*
2. In *Contre Sainte-Beuve. Essais et articles.* Bibl. de la Pléiade, 1971, p. 557.

QUELQUES AUTRES PERSONNAGES PROUSTIENS

Force nous est, dans ce « Profil », de limiter le nombre des personnages *proustiens* dont nous tentons d'esquisser les caractéristiques.

- *Le narrateur*

C'est évidemment le personnage pivot, témoin, qui raconte ce qu'il a cru voir, comprendre, deviner. Or, c'est celui sur qui nous savons le moins de détails. C'est un écrivain. Il est presque toujours présent dans le roman, sauf dans *Un amour de Swann.* Or, de *Swann* au *Temps retrouvé,* il évolue considérablement, passant des naïvetés de l'enfant, douillet, maladif, à l'adulte tyrannique de *La prisonnière,* puis à l'écrivain qui ne croit plus qu'à l'Art, dans l'ultime volume. Il n'est pas inutile de souligner qu'il n'est pas homosexuel.

- *Swann*

Le narrateur le dit lui-même (*T.R.*, p. 282) : c'est le noyau originel de *La recherche,* c'est l'initiateur et même si son destin est un échec — il disparaît sans laisser d'autres traces que celles des mots du roman — il n'en est pas moins l'un des personnages les plus attachants inventés par Proust. C'est lui qui révèle au narrateur le monde de l'Art, de cet Art qui transfigure le monde où nous vivons. Son engouement amoureux, sa jalousie forment, on le sait, la matière du mini-roman intercalé dans le premier volume sous le titre *Un amour de Swann.* C'est un chasseur, un dégustateur de femmes, mais cette fois-ci, avec Odette, il est pris au piège. Au fond, il n'aime pas vraiment cette Odette, qui le rend à la fois si heureux et si malheureux : il voit en elle un splendide Botticelli. Et cette erreur, jointe au fait qu'il n'écrit pas une étude projetée sur Ver Meer, qu'il n'œuvre pas lui-même, fait que sa vie improductive se réduira, au moment de sa mort, à quelques lignes du *Gaulois* (*P.*, p. 237).

On s'est interdit, dans ce « Profil », de chercher la vie de Proust dans son roman. Il est néanmoins impossible de passer sous silence l'utilisation, presque mot à mot, d'une vraie lettre du romancier écrite à un certain M.[1] dans les reproches que fait Swann à Odette alors qu'elle l'abandonne pour aller cher les Verdurin (*SW.*, p. 344-345).

• *Odette*

Tout n'est pas clair dans cette ex-Mme de Crécy, qui devient la femme de Swann, puis, à la mort de ce dernier, l'épouse d'un riche imbécile nommé Forcheville. Il est du moins certain que c'est une femme légère ; et l'une des femmes — non sans beauté mais sans être une beauté — les plus élégantes de Paris. Elle séduit Swann sans aucune difficulté. Elle le trompe sans vergogne.

Après son deuxième mariage, elle vit dans la propriété de Tansonville, tout près de Combray. On insinue qu'elle a eu des moments d'amour saphique, qu'elle a fréquenté des maisons de passe. Malgré tout cela, elle est loin d'être antipathique, et son charme joue — à notre avis —, sur le lecteur autant que sur les acteurs du roman. Notre résumé de *Du côté de chez Swann* permet de compléter le portrait d'Odette, ainsi que notre développement ci-dessus sur « La chute des masques » (supra, p. 40).

• *Albertine*

C'est une des « Jeunes filles en fleurs » aimée par le narrateur au point qu'il la séquestre dans son appartement. C'est une homosexuelle aussi mystérieuse pour le lecteur de *La prisonnière* que pour son geôlier. Elle représente sans doute le mystère de l'autre. On a soutenu qu'elle serait un garçon transposé en fille par prudence du romancier. Rien n'est moins certain et ce qu'a pu écrire Sartre n'est pas parole d'Évangile. Reste qu'il est difficile, pour le lecteur, de comprendre quel genre de plaisir sexuel Albertine donne au narrateur. Est-ce seulement la masturbation ?

1. Cette lettre de Marcel Proust à M. a été écrite de Cabourg, en 1912. Elle est citée dans la *N.N.R.F.* du 1er avril 1953, p. 737, et reprise par J.-L. Curtis dans *Les cahiers des saisons*, revue de l'hiver 1963.

- *Charlus*

C'est un Guermantes. Il est le frère cadet du duc de Guermantes, douzième du nom, donc le beau-frère de la duchesse, Marie Oriane, et l'oncle du marquis de Saint-Loup. Il a été marié à une princesse de Bourbon morte jeune. On le désigne généralement en famille sous son vrai nom de Palamède, mais le narrateur le nomme plus souvent « Baron de Charlus »; enfin, dans le faubourg Saint-Germain, il porte le sobriquet de « Mémé ». A Combray, il passe pour l'amant d'Odette. Swann, qui connaît l'« homme-femme », sait qu'entre Odette et Charlus il ne peut rien se passer. On se souvient de ses regards enflammés, investigateurs, lorsqu'il rencontre un jeune garçon (voir au début de *Swann* dans le raidillon des aubépines) mais il soutient très souvent un idéal de virilité tout en ayant des allures efféminées. C'est un aristocrate de bonne culture, qui a lu Balzac[1] et connaît les arts. C'est un bavard impénitent, capable de violences verbales extraordinaires, mais aussi un esthète. Masochiste, germanophile en 14-18, il étonne son ami le professeur Brichot lorsqu'il parle des écrivains du siècle de l'empereur Auguste. Son talent de polémiste (voir les grossièretés sur Mme de Saint-Euverte, in *S.G.*, p. 117-118) aurait pu faire de lui un écrivain. Pour parler comme Chantal Robin, dans une étude sur laquelle nous allons revenir, le baron de Charlus « possède une double sexualité. Son idéal viril cache une nature profondément féminine. (...) Charlus est le symbole de l'ambivalence, de la réunion des contraires, l'être double ou l'androgyne »[2]. Proust lui-même..., enfin son narrateur, ne dit pas autre chose (*S.G.*, p. 39). Il classe Charlus dans la catégorie des « hommes-femmes, descendants de ceux des habitants de Sodome qui furent épargnés » (*S.G.*, p. 7). Le narrateur le rattache même à l'antique Orient, à l'« hermaphrodisme initial » (*S.G.*, p. 39).

1. Il admire spécialement le fait que Balzac ait connu « jusqu'à ces passions que tout le monde ignore, ou n'étudie que pour les flétrir » (*S.G.*, p. 511).
2. In *L'imaginaire du « Temps retrouvé »*, collection « Circé » n° 7, p. 77 (éditions Lettres modernes).

• *La duchesse de Guermantes*

Marie-Oriane, que ses familiers appellent Oriane, est l'épouse de Basin Sosthènes, douzième duc de Guermantes. C'est un personnage non moins ambigu que les précédents. Proust fait dire d'elle à son narrateur — qui en est amoureux durant son enfance et son adolescence — qu'elle est « un personnage de lanterne magique » (*T.R.*, p. 243) c'est-à-dire quelque image que l'on contemple de loin, qui n'a de réalité que sa projection sur un écran. Dans le vivier mondain de *La recherche,* elle est contradictoire. Abandonnant Swann pour ne pas manquer un dîner, elle est profondément touchée par la mort de son neveu Saint-Loup, tué sur le front.

• *La princesse de Guermantes*

Née duchesse en Bavière, c'est la femme du prince de Guermantes, cousin du duc. On a l'impression d'une figurante : belle, tenant un salon original, donnant de somptueux goûters. Elle fera grand honneur au narrateur en l'invitant. A sa mort, le prince épousera Mme Verdurin.

• *Robert, marquis de Saint-Loup en Bray*

C'est le fils de Marie de Guermantes, sœur de Basin et de Palamède, et du marquis de Marsantes. Lorsque le narrateur fait sa connaissance, à Balbec, c'est un bel homme portant monocle, célèbre pour son élégance, qui tente une carrière militaire. Impertinent mais aimable, efféminé mais viril, il est l'amant d'une ancienne prostituée devenue actrice, Rachel. Il dit qu'il méprise l'aristocratie. Volontiers théoricien militaire et politique, il cst un moment dreyfusard, cc qui est rare dans sa garnison de Doncières. Il épouse Gilberte, la fille de Swann et d'Odette, mais il épouse aussi les goûts de son oncle Charlus et entretient un violoniste nommé Morel, comme une maîtresse. Il sera tué au début de la guerre de 14-18.

- *Morel*

Charles Morel, dit « Charlie », est le fils du valet de chambre du narrateur. Beau garçon, excellent violoniste, il est aimé par le baron de Charlus qu'il exploite autant qu'il le peut. C'est lui qui joue devant Swann la fameuse « petite phrase » de Vinteuil. Il deviendra l'amant — ou la maîtresse, c'est selon ! — du marquis de Saint-Loup. Dénoncé comme déserteur, alors qu'il fait la gloire du salon Verdurin pendant la guerre, il s'engage, part pour le front, où sa conduite héroïque lui vaut la Légion d'honneur.

- *Les Verdurin*

On groupe ici M. et Mme Verdurin. Ils sont semblables sur le plan de la bourgeoisie riche. Ils singent le « grand monde » qui tient salon. Ils lancent des artistes nouveaux, peintres comme M. Biche (qui deviendra le grand Elstir et sera par eux, à ce moment-là, détesté) ou violonistes comme Morel. Ils ont aussi en commun la vulgarité prétentieuse et l'inculture totale. Mais c'est Mme Verdurin qui domine le « clan » qu'elle a formé, et le narrateur en fait un portrait cruel dans « Un amour de Swann » (*SW.*, p. 240-249). C'est chez les Verdurin que Swann rencontre Odette, entend la « petite phrase » de Vinteuil (*SW.*, p. 219 sqq.). Les mœurs de Mme Verdurin n'ont pas la pureté de l'ignorance : elle fait des avances à Odette. Enfin, rappelons qu'après la mort de M. Verdurin et de son deuxième mari, elle épouse le prince de Guermantes. Elle devient l'une des « reines » de Paris durant la guerre 14-18 et son salon est le lieu où l'on va quêter des nouvelles militaires. Son accès au rang de princesse marque, selon le narrateur, l'écroulement du « monde » d'avant-guerre.

- *Bergotte*

Grand écrivain de l'époque, ami des Swann, grand amateur d'architecture, créateur d'un style très élaboré, le narrateur l'admire, à cette réserve près qu'il ne retrouve pas son talent dans sa conversation. Il n'est pas exactement un personnage *proustien,* au sens que nous avons essayé de préciser parce qu'il est tout d'une pièce. On a l'impression qu'il est une vision de l'auteur en un miroir. Proust, disons le mot, s'est inspiré de lui-même en peignant Bergotte sur certains plans de la création et du style. Mais nous nous sommes interdit d'entrer dans l'insondable — et inutile — problème des clefs. En tout cas, Bergotte a une signification métaphysique : contrairement à Swann, qui s'est détourné de la création, il est « sauvé » de la mort par ses œuvres. Swann et Charlus n'étaient que des dilettantes ; Bergotte, si sa gloire n'est pas éternelle, a fait l'effort nécessaire pour atteindre l'Art, donc pour échapper un moment au temps qui s'enfuit.

CONCLUSION SUR LES PERSONNAGES

Cette liste est certes infiniment trop courte, car il y a des centaines et des centaines de personnages dans *La recherche.* On n'a voulu, on n'a pu retenir que quelques-unes de ces créatures qui — comme tous les grands personnages de notre littérature — Célimène ou Tartuffe, par exemple, demeurent un mystère, conservent jusqu'au bout une partie cachée à l'« autre ». Ils découvrent lentement ce que leur créateur veut bien nous révéler d'eux.

Les principaux thèmes 6

A en juger par le répertoire de Raoul Celly[1] ou par le dictionnaire de Pauline Newmann-Gordon[2], le nombre des thèmes contenus dans *La recherche* est tel qu'un volume entier de « Profil d'une œuvre » suffirait à peine pour les énumérer. Nous nous limiterons à un échantillonnage très sélectif.

L'AMOUR

Comme les romanciers du Moyen Age, Proust sait parfaitement qu'il y a deux prisons absolues : l'amour et la mort[3]. Deux de ses personnages expérimentent le premier, Swann et le narrateur, l'un dans sa passion pour Odette, l'autre dans sa passion pour Albertine. Dans les deux cas, il s'agit de sensualité. Swann « possède » charnellement Odette — ils font « catleya », on s'en souvient — mais le narrateur est moins gourmand : il sait qu'on ne mange pas les joues d'Albertine, pas plus qu'on ne mange la chair des sirènes. On a l'impression que la dégustation d'Albertine est orale, un peu comme Tartuffe déguste Elmire rien que par des paroles chuintantes de salive[4]. C'est le narrateur lui-même qui le dit : « Albertine avait une prononciation si charnelle et si douce que, rien qu'en vous parlant, elle semblait vous embrasser » (*C.G.*, II, p.71). Proust — enfin, le narrateur ! — considère l'amour comme Léonard de Vinci considère la peinture : une *cosa mentale* (*J.F.F.*, p. 92), quelque chose qui existe dans l'esprit, quel que soit le type

1. Raoul Celly, *Répertoire des thèmes de Marcel Proust*, C.M.P., n° 7, Éd. Gallimard, 1935, 383 pages.
2. Pauline Newmann-Gordon, *Dictionnaire des idées dans l'œuvre de Marcel Proust*, Éditions Mouton, 1968, 547 pages.
3. Cf. le cycle de la « Table ronde » par exemple, ou *Tristan et Iseut*.
4. Cf. « On ne peut trop chérir votre chère santé » (*Le Tartuffe*, acte III, sc. 3. Éd. Couton, Pléiade, 1971, tome 1, p. 940).

d'amour, hétérosexuel ou homosexuel. C'est ainsi que l'on apprend le « caractère purement mental de la réalité » (*T.R.*, p. 280).

L'amour est donc maladie (*SW.*, p. 365), tromperie, illusion. Trois femmes aimées dominent le roman, et il s'agit de trois échecs. Échecs avec Gilberte, Albertine et la duchesse de Guermantes, pour ce qui concerne le narrateur, et avec Odette, pour Swann. Amours manquées, décevantes, torturantes. L'imaginaire amoureux décrit dans le roman est négatif. Pour le narrateur, « l'être aimé est successivement le mal, et le remède qui suspend et aggrave le mal » (*S.G.*, p. 266). L'amour est aussi fétichisme. Des objets, des « riens », comme dit le narrateur, lui font « posséder Albertine » (*P.*, p. 63). Mais c'est de cette « possession physique — où d'ailleurs l'on ne possède rien » (*SW.*, p. 280).

AMOUR ET HOMOSEXUALITÉ

On sait que Sartre déclare sans valeur les analyses proustiennes de l'amour. Or, il suffit de lire les pages sur la passion de Swann pour Odette (*SW.)* et celles où le narrateur jouit, embarqué comme il dit, sur le sommeil d'Albertine[1] (*P.*, p. 81), pour éprouver ce qu'il y a d'universellement chaud et sensuel dans les récits du narrateur. D'avance, du reste, Proust avait répondu à Sartre. Dans *Le temps retrouvé,* il souligne la vérité générale de ses analyses parce qu'en amour « la matière est indifférente (...) tout peut y être mis par la pensée ; vérité que le phénomène si mal compris, si inutilement blâmé, de l'inversion sexuelle grandit plus encore que celui, déjà si instructif, de l'amour » (*T.R.*, p. 275). Et puis, il faut prendre garde à ne pas transformer un roman, qui contient une histoire d'amours (au pluriel), en un traité de sexologie ou de psychologie amoureuse. La fonction de l'amour, des amours, dans *La recherche,* est limitée. Elle participe presque accessoirement à ce qu'il faut bien,

1. *La recherche*, contrairement à ce qu'on lit parfois sous d'éminentes plumes critiques, conformément à ce qu'a toujours affirmé Proust, n'est pas un roman à clefs mais un roman tout court. Au sens littéral du roman, Albertine est une femme.

quand même — voir notre résumé — nommer une intrigue. Les idées du romancier sur ce point n'ont d'ailleurs rien de particulièrement original, et on peut les jalonner à travers Ovide, Tibulle, les romans courtois, etc. C'est pourquoi elles sont assez pessimistes.

AMOUR, INCOMMUNICABILITÉ, JALOUSIE

Une des raisons de la souffrance née de l'amour, c'est que nul ne peut posséder un autre être. Même « prisonnière », Albertine demeure « fugitive », insaisissable, étrangère. Elle peut même être absente et présente à la fois, comme lors d'un dîner à Rivebelle : « Je sentis, écrit le narrateur, qu'on peut être près de la personne qu'on aime et cependant ne pas l'avoir avec soi » (*S.G.*, p. 470).

Ce thème de l'incommunicabilité entre les êtres, aujourd'hui si rebattu, est particulièrement proustien. Cette barrière entre l'autre et moi est la conséquence du fait que l'autre n'est pas ce que j'imagine qu'il est. C'est une des sources de la jalousie.

Cette jalousie, plus particulièrement illustrée dans *Un amour de Swann*[1], *La prisonnière* et *Albertine disparue*, est une soif de possession non entièrement satisfaite, mais c'est surtout une soif de savoir — et de tout savoir. Elle va plus loin, plus profondément que l'amour parce qu'elle dépasse les apparences, interprète les signes, si souvent trompeurs, maquillés ou masqués. Charlus est un fort bon juge lorsque, dans *La prisonnière* (*P.*, p. 101), il parle d'un état de procrastination[2] du narrateur, conséquence de sa jalousie morbide, de sa névropathie. Et cet état, fort bien analysé, ne cesse jamais puisque le narrateur souffre de ce qu'il nomme « une jalousie de l'escalier » (*P.*, p. 100), c'est-à-dire qui naît après le départ de l'être soupçonné.

1. Notre résumé détaillé permet d'en suivre le développement. Cf. supra, p. 15 sqq.
2. Procrastination : Charlus entend par ce mot « l'ajournement perpétuel » des projets de travail du narrateur (*P.*, p. 101), ce qui est l'exacte traduction du mot latin *procrastinatio* = ajournement.

L'AMITIÉ

Le thème de l'amitité n'apparaît pas tout de suite dans *La recherche*. Il faut attendre les célèbres pages qui content l'arrivée de Saint-Loup à Balbec, dans *A l'ombre des jeunes filles en fleurs*, pour que le narrateur analyse un peu longuement ce type de rapports entre les êtres. Notons d'ailleurs que c'est Robert lui-même qui en parle comme « quelque chose d'important et de délicieux », comme « la meilleure joie de sa vie » (*J.F.F.*, p. 374).

Le narrateur, qui nie cette « vertu » tout au long de *La recherche*[1], rectifie aussitôt cette conception enthousiaste, précisant que sa joie de connaître Saint-Loup est « d'intelligence, non d'amitié » (*J.F.F.*, p. 376). Il revient sur ce point dans *Le côté de Guermantes*. Il y affirme que la fréquentation des jeunes filles est moins funeste à la vie spirituelle que la pratique de l'amitié. Pourquoi ? Parce que, dans l'amitié, « tout l'effort est de nous faire sacrifier la partie seule réelle et incommunicable (autrement que par l'art) de nous-même, à un moi superficiel » (*C.G.*, II, p. 115). En bref, le narrateur nie l'intérêt de l'amitié, cette voleuse de temps et d'énergie, cette illusion qui crée plus de devoirs que de plaisirs profonds. Ce qu'il confirme à la fin du *Temps retrouvé* dans cette phrase mélancolique : « Bien loin de me croire malheureux de cette vie sans amis (...) je me rendais compte que les forces d'exaltation qui se dépensent dans l'amitié sont une sorte de porte-à-faux visant une amitié particulière qui ne mène à rien et se détournant d'une vérité vers laquelle elles étaient capables de nous conduire » (*T.R.*, p. 368). Ce qu'il dit, de manière plus dure, en un autre endroit du même volume : « L'artiste qui renonce à une heure de travail pour une heure de causerie avec un ami, sait qu'il sacrifie une réalité pour quelque chose qui n'existe pas » (*T.R.*, p. 233). Qui oserait soutenir que c'est Proust, l'homme qui pense ainsi ?

1. Alors que Proust lui-même — qu'on lise sa correspondance — semble avoir largement et généreusement sacrifié à l'amitié.

L'ENFANCE, LE PASSÉ

De même que la paix du Valois pour Gérard de Nerval, dans *Sylvie*, le Combray de *Du côté de chez Swann* est une image idéalisée, idyllique, de la paix de l'enfance heureuse. La fascination de l'enfance, du passé lointain, n'est pas vraiment le thème central de *La recherche*, mais il ne faut jamais oublier, quand on lit Proust, une phrase de Jean Santeuil où, ému par le son des cloches dans une rue du Faubourg Saint-Germain, à Paris, l'auteur croit entendre une lointaine chapelle et dit de lui-même : « Il aperçut à travers ses larmes, entre les blés, au soleil baissant, le sentier qui ramenait au jardin paternel et devant lui sa grande ombre de petit enfant. »[1] Il faut n'avoir pas été élevé à la campagne pour ne pas sentir tout ce qu'il y a de vrai, de profond, dans cette simple notation. Comme l'écrit si bien Gilbert Bosetti : « Raconter son enfance, c'est d'abord évoquer des lieux. »[2] C'est pourquoi Combray est l'île refuge, le petit paradis qu'il s'agit de retrouver, qu'il faut métamorphoser comme lorsqu'on écrit une utopie. Rien ne trouble l'ordre. Le jardin, la maison, les aubépines voisines finissent, grâce au roman, par être hors de portée du temps, dans l'éternité. On peut s'enfermer à clef comme fait le narrateur, dans « une petite pièce sentant l'iris » (*SW.*, p. 20). L'auteur, qui, devenu adulte, en arrive à ne plus trouver de réalité que dans sa mémoire du passé, écrit : « Soit que la foi qui crée soit tarie en moi, soit que la réalité ne se forme que dans la mémoire, les fleurs qu'on me montre aujourd'hui pour la première fois ne me semblent pas de vraies fleurs » (*SW.*, p. 221).

La conséquence de tout cela est évidente : le passé est la matière de l'œuvre d'art, une matière unique, singulière, « qu'aucun artiste, si grand soit-il, ne saurait imiter et qu'il peut seulement se flatter de nous inciter à compléter en nous »[3]. Encore faut-il l'aide de la mémoire. De quelle mémoire ?

1. In *Jean Santeuil*, édition de la Pléiade, 1971, p. 248. Il fait allusion au champ dans lequel il débouchait à l'extrémité du raidillon des aubépines à Combray.
2. Gilbert Bosetti, « La maison refuge mythique de l'enfant dans le roman italien contemporain », in revue *Circé*, n° 3, p. 177.
3. In *Jean Santeuil*, éd. cit., p. 319.

LA MÉMOIRE

Il y a un infini du souvenir comme il y a un infini de la perception. Pour que de cet infini surgisse ce qui peut éclore comme ces fleurs que les Japonais ont comprimées en papier très fin et qui, plongées dans l'eau, « s'étirent, se contournent, se colorent, se différencient, deviennent des fleurs, des maisons, des personnages... » (*SW.*, p. 61), il faut connaître un phénomène que Proust ne découvre pas, mais dont il a fait une utilisation fondamentale dans son roman : le phénomène de la mémoire involontaire.

Ses prédécesseurs, sur ce point précis, ont été recensés depuis longtemps. Leur liste s'allonge chaque année tant la réminiscence provoquée par une sensation est quelque chose d'aussi général que l'instinct. Tout lecteur retrouve dans le roman de Proust ce qu'il a éprouvé lui-même un jour[1]. L'usage littéraire du phénomène a été repéré notamment dans les œuvres de Chateaubriand, Nerval, Baudelaire, Daudet, Renan, J.-J. Rousseau, Maupassant, Musset, Wagner, Mallarmé, Ruskin, etc.

Aucun de ces écrivains ne l'a cependant utilisé systématiquement comme Proust. Aucun surtout n'en a tiré la joie qu'éprouve le narrateur de *La recherche*.

Le phénomène est fort simple. Alors que dans l'exercice de la mémoire volontaire habituelle, nous faisons appel à notre intelligence, nous remontons dans le passé grâce à des points de repères précis, comme si nous tenions un fil d'Ariane, dans la mémoire affective, ou involontaire, le surgissement du souvenir est imprévisible. Il est d'une précision telle qu'on peut presque parler d'apparition. Il y a comme une amplification d'un point du passé qu'on a pu laisser « geler » en nous durant des années. Et c'est presque toujours le résultat d'une émotion, d'une sensation olfactive, auditive, gustative, etc.

Rappelons les principaux passages dans lesquels le narrateur décrit cette rencontre présent/passé, ces coïn-

1. Je renvoie sur ces précurseurs à un article de Justin O'Brien, « *La mémoire involontaire avant Marcel Proust* », paru dans la *Revue de littérature comparée* de janvier 1939, p. 19-36.

cidences qui annulent le temps, comme si l'âme retrouvait un pli qu'il croyait disparu à jamais sous les strates de l'accumulation des faits de vie. Il y a, bien entendu, l'histoire de la madeleine (*SW.*, p. 58-61) qu'il serait trop long de citer ici, mais il y a aussi, par exemple, les effets de la « petite phrase » du musicien Vinteuil sur les joies ou les souffrances amoureuses de Swann, plus particulièrement lors de la soirée chez Mme de Saint-Euverte. Dans le cœur de Swann remontent involontairement tous ses souvenirs du temps où Odette était éprise de lui (*SW.*, p. 407). Et puis, il y a les longues et belles pages du *Temps retrouvé*, où se multiplient les sensations qui font coïncider le passé et le présent : un pavé inégal dans la cour de l'hôtel de Guermantes, le bruit d'une cuiller, le contact d'une serviette empesée (*T.R.*, p. 222-224). C'est là que le narrateur s'abandonne à chanter son extase, sa félicité, son sentiment de renaissance, sa certitude d'être sauvé parce qu'il vient d'entrevoir la possibilité de créer une œuvre — une œuvre venue des « réminiscences » (*T.R.*, p. 237) —, c'est-à-dire qui retrouve le temps perdu.

LE TEMPS

Quel temps ? Rien que dans les titres proustiens, il en est deux : le temps « perdu » et le temps « retrouvé ». C'est donc un des principaux thèmes du roman, mais ce n'est pas *le* thème de *La recherche*. Le narrateur réfléchit longuement sur cette notion lorsque, dans le salon de la princesse de Guermantes, il découvre les effets du temps rongeur, et se demande s'il vivra assez pour élaborer son œuvre. Il songe aussi au fait que l'écoulement de la durée est nécessaire à cette élaboration parce que, seule, elle donne la perspective, rectifie les erreurs de la vision.

Il semble que la notion de « temps perdu » puisse être contenue dans le sens banal de « perdre son temps » dans la vie mondaine, les salons, l'amour même, si décevant, l'amitié, enfin, nous venons de le voir. Le « temps » est « perdu » aussi comme est « perdu » ce qui est passé, oublié. Et, dans *Sodome et Gomorrhe*, venant de méditer sur le fait qu'il y a le temps des sommeils et celui des éveils, il se reprend et écrit : « J'ai dit deux temps ; peut-être n'y en a-t-il qu'un seul (...) parce que l'autre vie, celle où on dort, n'est pas — dans sa partie profonde — soumise à la catégorie du temps » (*S.G.*, p. 433).

Maîtriser le temps, c'est l'arrêter — comme fait la mort, qui rend éternel l'âge de ceux qui nous quittent. C'est aussi le désir profond de n'importe quel récit : le conteur s'arrête de vivre dans le temps qui fuit, le poète aussi, comme Rimbaud qui s'écrie dans la même joie que notre narrateur : « Elle est retrouvée. Quoi ? l'Éternité. »[1] Le romancier ne peint pas la réalité morcelée, comme nous la vivons, heure après heure. Au contraire — c'est en tout cas ce que fait Proust —, il opère un rapprochement des éléments, et, comme il le dit lui-même, il dégage « leur essence commune en les réunissant l'une et l'autre, pour les soustraire aux contingences[2] du temps, dans une métaphore » (*T.R.*, p. 250). Pour comprendre cette formule, il faut évidemment définir la *« métaphore » proustienne*, ce que nous ferons plus loin (voir p. 65). Il faut aussi admettre que ce mélange passé/présent entraîne un certain flou chronologique : c'est le cas, par exemple, après la mort d'Albertine, dans *Albertine disparue*.

LA MORT

Il y a des centaines de thèmes dans l'œuvre de Proust. Il faudrait, par exemple, parler de Proust et la musique — nous n'en dirons qu'un mot lorsqu'il s'agira de l'Art ; il faudrait étudier Proust et le sadisme, Proust et le masochisme, Proust dans ses rapports avec le rêve, les sommeils, l'habitude. Les habitués de nos « Profils » savent que c'est impossible. Nous esquisserons donc un dernier thème obsessionnel de *La recherche* : la mort.

Pas plus que Bérenger Ier, le héros du *Roi se meurt*, d'Eugène Ionesco, le narrateur de *La recherche* n'a d'arrière-plan religieux. Il parle bien de l'âme, mais

1. Rimbaud, *Vers nouveaux et chansons*, *Œuvres complètes*, éd. Pléiade, 1972, p. 79.
2. C'est-à-dire aux événements.

dans une tout autre perspective que celle d'un salut céleste. C'est que pour lui la mort est celle des artistes dont parle Baudelaire qui « fera s'épanouir les fleurs de leur cerveau[1] ». C'est dire si le thème de la mort plane sur des centaines de pages de *La recherche*. Le narrateur aurait pu répéter ce que disait Michel-Ange à Vasari : « Il ne naît en moi aucune pensée où il n'y ait, sculptée, la mort. » Et l'explication de cette obsession est simple, c'est que tout grand artiste donne un but à son art : l'éternité. Et puis, le narrateur — et cette fois, nous consentons à l'assimiler à Marcel Proust, l'homme — sait que par le « temps retrouvé », son œuvre est le seul moyen d'une sorte de renouveau perpétuel.

Le thème de la mort prend toute son importance à partir du *Côté de Guermantes*. On y apprend la maladie puis la mort rapide de la grand-mère du narrateur, le déclin de Bergotte — qui meurt dans *La prisonnière* (Cf. *P.*, p. 221-224). On voit Swann vieilli, annonçant lui-même sa fin. Tout cela nous vaut des pages émouvantes sur le néant. Lorsque la communication téléphonique qu'il a avec sa grand-mère est coupée, le narrateur prend soudain conscience de la mort (*C.G.I.*, p. 162-163) : « Je palpitais, écrit-il, de la même angoisse que, bien loin dans le passé, j'avais éprouvée autrefois, un jour que petit enfant, dans une foule, je l'avais perdue. » Enfin — il faut bien mettre un terme à ce jalonnement — rappelons la galerie de cadavres en sursis, que nous offre le narrateur dans *Le temps retrouvé*. Le narrateur, presque avec cruauté, peint la déchéance de ces hommes et de ces femmes qu'il revoit après vingt ans de séparation. Que voit-il ? La mort, sous l'aspect de « fantoches » : de fameux dandys devenus blancs, de fameuses belles femmes devenues blettes comme des pommes de Balbec, des jeunes gens devenus de jeunes vieillards. Et lui-même, dont il observe le vieillissement dans les regards et les paroles des autres. Il n'y a plus que le baron de Charlus, qui, à moitié fou, court après sa jeunesse, c'est-à-dire après les petits garçons ! Tous sont dans l'antichambre de la mort.

1. Baudelaire, *Les fleurs du mal*, CXXIII.

7 Un roman initiatique ?

Il existe à notre avis une signification particulière, trop souvent refusée ou ignorée par la critique universitaire, qui résulte d'une lecture de *La recherche* considérée comme « un parfait roman initiatique »[1]. Elle avait été suggérée, dès 1964, par Léon Cellier dans un article sur *Le roman initiatique en France au temps du romantisme*[2]. Quelques années plus tard, Chantal Robin consacrait tout un volume de la collection des *Cahiers de recherche sur l'imaginaire* à « Hermétisme et écriture chez Proust »[3]. Ce sont ces recherches qui nous ont convaincu du caractère parfois mythique — même s'il est inconscient chez l'auteur — de la grande œuvre de Proust.

Dans un numéro de la *Revue d'histoire littéraire de la France*[4], Pierre Albouy avait étudié « quelques images et structures mythiques dans *La recherche du temps perdu* ». Les exemples donnés sont convaincants. Tout au long du roman, la mythologie nourrit le vocabulaire du narrateur, qu'il s'agisse des dryades, divinités des arbres, dans le Bois de Boulogne (*SW.*, p. 500), ou des nymphes et divinités des « grottes » de l'Opéra (*C.G.*, I, p. 44), sans parler d'Albertine présentée comme une figure du destin, comme la déesse Fortune parce qu'elle roule... à bicyclette, Albertine « bacchante à bicyclette (...) muse orgiaque du golf » (*J.F.F.*, p. 537). Il est impossible, ici, de reproduire les remarques de ce type faites par Pierre Albouy : il est beaucoup plus utile de lire son précieux article.

1. Cette audacieuse formule est du regretté professeur Pierre Albouy, éminent spécialiste et éditeur de Victor Hugo (les poésies dans la Pléiade). On la trouvera à la fin de son étude sur *Le réel et l'imaginaire dans l'œuvre de Henri Bosco*, éd. Corti, 1976, p. 209.

2. Étude réimprimée dans *Parcours initiatiques*, de Léon Cellier, Presses Universitaires de Grenoble, 1977, p. 118 à 137.

3. Collection Circé, n° 7, éd. des Lettres Modernes, 1977.

4. N° de septembre-décembre 1971.

Selon lui, il y a en arrière-plan, en filigrane si l'on veut, une structure « orphique » de *La recherche*. On nomme ainsi la disposition d'un monde coupé en deux parties opposées, par exemple divisé comme la terre en un monde proprement terrestre et un monde dit des « enfers ». Certains héros, comme Orphée — d'où l'adjectif orphique — mais aussi Énée dans Virgile, Télémaque dans Homère, Jésus-Christ, ont eu le privilège de descendre aux lieux infernaux et d'en revenir, après avoir approché du royaume des Ombres. Cette « descente aux Enfers » se reproduit plusieurs fois, symboliquement, dans *La recherche*. Dans *Swann*, par exemple, Swann réentendant, chez Mme de Saint-Euverte, la sonate de Vinteuil qui est liée à son amour pour Odette, revit un moment la nuit où, pareil à Orphée cherchant son Eurydice, il descendit non aux Enfers mais dans l'obscurité des boulevards parisiens pour retrouver celle qu'il aime. Relisons : « Il se rappela les becs de gaz qu'on éteignait boulevard des Italiens, quand il l'avait rencontrée contre tout espoir parmi les ombres errantes, dans cette nuit qui lui avait semblé presque surnaturelle, et qui en effet (...) appartenait bien à un monde mystérieux où on ne peut jamais revenir quand les portes s'en sont refermées » (*SW.*, p. 409). Il faudrait aussi parler des gares (*J.F.F.*, p. 266-267), des rêves, des sommeils du narrateur (*passim*). Une série d'expériences, en apparence banales, correspondant en fait aux voyages des héros mythologiques. C'est la médiocrité culturelle de notre époque qui ne permet plus de le comprendre à l'évidence.

QU'EST-CE QU'UNE ŒUVRE INITIATIQUE ?

Mais il y a plus étonnant encore : l'affirmation d'où nous sommes parti, et selon laquelle *La recherche* serait un roman du type initiatique. N'importe quel lecteur un peu attentif, un peu curieux et prêt à quelques recherches, peut comprendre la notion littéraire de roman initiatique. Léon Cellier l'a expliquée dans ses *Parcours initiatiques*[1] et nous allons résumer aussi simplement que possible ce qu'il dit à partir des romans romantiques.

Qu'est-ce donc qu'un roman initiatique ? C'est une œuvre dans laquelle un héros traverse nombre d'épreuves, de souffrances — parfois frôlant la mort —, pénètre dans un monde autre que celui de la vie quotidienne (un monde des combats, des exploits, de la mort) et revient de ses aventures, de sa quête, complètement transformé, en un mot initié. En réalité, ces récits d'une « quête » ont quelque chose d'épique, c'est-à-dire d'aventures qui ne sont pas à l'échelle humaine. C'est qu'ils sont le symbole d'une aventure spirituelle, d'une formation de l'âme. On peut, pour s'en convaincre, se reporter aux scénarios de *La flûte enchantée* de Mozart (initiation héroïque et religieuse) ou encore au *Voyage en Orient* de Gérard de Nerval. Au bout du roman initiatique, il y a toujours une lumière, une conquête, celle du salut de l'âme mais aussi — c'est le cas dans Proust — celle d'une vocation. C'est pourquoi Léon Cellier écrit que « Marcel, dans *A la recherche du temps perdu*, abandonne sa défroque de snob pour s'épanouir en poète »[2].

Le roman de Proust est en effet fondamentalement une aventure spirituelle. Le narrateur fréquente le « monde » qui contient tous les cercles de l'*Enfer* de Dante, c'est-à-dire tous les vices de la nature humaine. Il connaît l'isolement du futur initié, symbolisé par ses séjours en maison de santé (Cf. *Le temps retrouvé*). Pour lui, le fait de se croire sans talent littéraire équivaut à la mort symbolique avant l'initiation. Puis, à la fin du *Temps retrouvé*, il découvre la lumière de l'initié, c'est-à-dire la matière et la manière de l'œuvre à écrire. Il passe de l'angoisse à la certitude, à la joie : il va créer un univers poétique et non, comme on le dit souvent dans les études biographiques, une œuvre à clefs. En résumé, l'initié, c'est celui qui remonte d'un « monde » — au sens mondain du terme — et accède à la lumière salvatrice de l'art romanesque.

1. Éd. citée, p. 188 sqq.
2. In *Parcours initiatiques*, p. 125 (éd. cit.).

LA MORT

Chantal Robin a admirablement montré[1] que le narrateur, sans toujours l'exprimer clairement, a accès au mystère, et finalement, au sacré, après avoir eu le sentiment d'être mort au monde, soit par absence de dons littéraires, soit par des échecs amoureux. Proust avait-il conscience du schéma initiatique qu'il traçait ? Qui le dira jamais ? Évidemment, on cherchera en vain dans le roman quelque mystère effrayant ou quelque monstre qu'il faut détruire pour remonter au jour. On y parcourt cependant des lieux souterrains — les refuges du métro durant la guerre, les cercles des perversions sexuelles[2], les miasmes du « monde » parisien — d'où le narrateur finit par triompher. Les ténèbres et la lumière sont bien dans *La recherche* et tout s'achève par une résurrection, une nouvelle vie.

LA DESCENTE AUX ENFERS

Avant de préciser ce que l'« initié », le narrateur, remonte des profondeurs, et qui fera l'objet de notre prochain chapitre, donnons succinctement à ceux qui ne pourraient consulter le livre supérieurement intelligent de Chantal Robin les étapes de l'initiation du héros dans *Le temps retrouvé*. Rappelons que le schéma de toute initiation — surtout l'initiation religieuse dans les anciens mythes grecs — comporte trois degrés : la mort, la descente aux Enfers, la résurrection.

Dans *Le temps retrouvé,* « la mort », rappelons-le, est souvent symbolique. Elle est marquée par la nuit (*T.R.*, p. 61-64); à Tansonville plus particulièrement, mais aussi dans Paris soumis à l'obscurité par la guerre (*T.R.*, p. 95). Elle est aussi littéraire puisqu'à la veille de son départ de chez Gilberte de Saint-Loup, le narrateur renonce à la littérature. Par deux fois il se retire dans

1. Chantal Robin, *L'imaginaire du « Temps retrouvé ». Hermétisme et écriture chez Proust,* collection « Circé », n° 7. Éd. Lettres Modernes, 1977.
2. Cf. « L'enfer, c'était tout Balbec » (*A.D.*, p. 142).

une maison de santé, où il passe des mois et des mois[1] (*T.R.*, p. 64). Il y a enfin la guerre de 1914-1918, qui donne l'impression d'une fin du monde par destruction, par décomposition des mœurs, par le chaos. La « *descente aux Enfers* » — que nous avons déjà notée dans de précédents volumes — se produit, pour ainsi dire, physiquement. C'est la descente dans les sous-sols du métro durant les alertes, c'est la « maison » de Charlus tenue par Jupien (*T.R.*, p. 152-159). Ce sont les allusions aux nouveaux « Pompéiens » (*T.R.*, p. 183), le bombardement sur les lieux infernaux où Charlus joue au « Prométhée enchaîné » (*T.R.*, p. 188). Mais alors que tout semble perdu, cette sorte de nuit spirituelle dans laquelle baigne le narrateur s'éclaire : c'est la troisième étape de l'initiation : « la résurrection », c'est-à-dire le salut par la littérature précédé d'une extase aux accents pascaliens (*T.R.*, p. 212, 223 à 234). C'est l'accès à la vraie vie, l'ascension, la renaissance par l'art (*T.R.*, p. 257), qui est lumière.

On pensera ce qu'on voudra de cette lecture sous la conduite de Chantal Robin, mais elle est à ce jour la seule érudite à avoir montré — nous la citons — que « descendre aux enfers[2], c'est descendre en soi-même : dès ses œuvres de jeunesse, Proust regardait cette descente en soi comme l'effort fondamental, la seule attitude féconde pour la création littéraire »[3]. Proust n'est certes pas le premier à avoir expérimenté ce parcours, au bout duquel il y a à déchiffrer le « livre intérieur » (*T.R.*, p. 238), c'est-à-dire selon ses propres termes à dépasser « cette grande nuit impénétrée et décourageante de notre âme que nous prenons pour du vide et pour du néant » (*SW.*, p. 412). Il l'a néanmoins suivi, consciemment ou non, telle est notre intime conviction.

1. On ne peut s'empêcher de songer ici à Gérard de Nerval qui, lui, dans la réalité et non comme personnage, connut en maison de santé une vraie mort spirituelle.
2. Dans une œuvre littéraire, cela s'entend. Qu'on se reporte à *la Divine Comédie*, où Dante descend aux Enfers sous la conduite du poète Virgile.
3. Chantal Robin, *op. cit.*, p. 41.

Vie et création artistique 8

Le temps retrouvé est la résolution, le dépassement d'une contradiction. Le narrateur, durant tout le récit de sa vie, était à la fois tenté par la vie mondaine, même futile, et par sa vocation d'écrivain, à laquelle il ne croyait pas. Cette dernière partie est, enfin, une ouverture. *Le temps retrouvé* est tourné vers l'avenir plus que vers le passé. Le grand roman s'achève, rappelons-le, sur l'immense projet d'écrire précisément *La recherche du temps perdu.* Le narrateur a trouvé en lui-même la force de créer une œuvre littéraire. Et, en ce dernier volume, sa joie dit assez que c'est une manière pour lui de faire son « salut ».

Jusqu'à ces dernières pages, se dressait un écran entre la réalité et lui. Il entendait des appels. Il voyait des signes, des choses, comme un clocher ou un arbre. Il ne parvenait pas pour autant à traduire par une œuvre les moments successifs, et les lieux variés, qu'il sentait, qu'il vivait.

Il faut répéter ici cette phrase du narrateur, qui n'est pas une banalité psychologique, mais l'aveu de son impuissance à simultanéiser, à arrêter le temps perdu : « Notre moi est fait de la superposition de nos états successifs » (*A.D.*, p. 178). Cette phrase est écrite alors qu'il revient de chez les Guermantes et attend l'insaisissable Albertine ; elle ne constitue donc pas un passage théorique, mais celui qui continue la page comprend aussitôt que, même inconsciemment, le narrateur n'a qu'une idée : saisir la totalité de son amie. C'est la même chose pour la vie. La solution n'est trouvée qu'à la fin de la « Matinée Guermantes » dans *Le temps retrouvé*, sous la forme, cette fois-ci, organisée, d'un exposé qui, d'ailleurs, parce qu'il n'a pu être revu par l'auteur avant sa mort, comporte un certain désordre, et nombre de redites.

Si l'on excepte l'homosexualité, l'amour n'est plus au centre du dernier volume. Tout y est ramené au problème de l'Art. La réalité l'a déçu. Écoutons-le : « Tant de fois, au cours de ma vie, la réalité m'avait déçu parce qu'au moment où je la percevais, mon imagination, qui était mon seul organe pour jouir de la beauté, ne pouvait s'appliquer à elle, en vertu de la loi inévitable qui veut qu'on ne puisse imaginer que ce qui est absent » (*T.R.*, p. 229). Certes, ajoute-t-il, il peut renouveler cette jouissance grâce à la mémoire volontaire, mais elle est fragmentée. Nous voici au cœur du problème : retrouver le temps perdu, c'est reproduire une suite d'instants privilégiés soustraits à la durée. Mais comment ? Par le retrait qui est décidé à la fin du *Temps retrouvé*, retrait durant lequel il pourra se livrer — c'est un des titres auxquels il avait songé — à *l'adoration perpétuelle*[1].

L'ADORATION PERPÉTUELLE

L'expression a quelque chose de religieux. Les théologiens nous ont appris qu'on ne peut adorer que Dieu. Or, la croyance du narrateur, ici, est croyance en l'Art, l'Art conçu comme Vérité, reconquête du temps perdu et conquête de l'éternité, ou ainsi qu'il le dit clairement lui-même, conquête d'« un peu de temps à l'état pur » (*T.R.*, p. 229), c'est-à-dire immobile comme une divinité échappant aux erreurs dues à la perception des événements. Cette conquête est le seul moyen de vaincre la mort. Nous sommes au plus près d'une mystique esthétique. Cette mystique, qui n'est pas d'essence religieuse, est néanmoins comme celle des saints : elle aboutit à une magnification, c'est-à-dire à un grandissement des lieux,

1. Cf. Lettre de Marcel Proust à Jacques Rivière du 7 février 1914, où il dit que son œuvre s'acheminera « vers la plus objective et croyante des conclusions », In *Lettres choisies*, éd. Nouv. Class. Larousse, 1973, p. 67.

des milieux et des êtres[1], à une « extase » (*T.R.*, p. 232) : le mot est prononcé. Tous les visiteurs qui se rendent à Illiers, prototype approximatif de Combray, le savent, parce qu'ils retrouvent, étriqué, sans lustre particulier, ce qui devient dans *Du côté de chez Swann* le merveilleux paradis de l'enfance. Ils ne doivent pas s'en étonner, car Combray, c'est Illiers dans l'éternité du temps retrouvé. Et Combray, c'est la réalité selon Proust ; c'est une petite ville plus qu'à moitié imaginaire, mais ainsi que l'a écrit Chantal Robin, « l'artiste se substitue à la vie »[2]. C'est la mémoire, c'est-à-dire le temps retrouvé, qui donne un sens à la vie. Or, dit le narrateur, « la vraie vie, la vie enfin découverte et éclaircie, la seule vie par conséquent réellement vécue, c'est la littérature » (*T.R.*, p. 257). Encore faut-il que l'Art empêche qu'autant en emporte le Temps. C'est une question de style que nous allons maintenant aborder à larges traits.

1. Ces hyperboles sont analogues à celles des mystiques religieux célestes ou démoniaques.
2. *Op. cit.*, p. 19.

9 L'art de Proust Son style

CE QUE L'AUTEUR A DIT LUI-MÊME

Il faut partir de Proust lui-même, non point parce que c'est forcément l'auteur qui comprend le mieux sa manière d'écrire, mais parce que l'auteur de *La recherche,* en même temps que romancier, fut un critique de première grandeur et un théoricien du style, soit à l'intérieur dudit roman, soit dans des œuvres comme l'ébauche de *Contre Sainte-Beuve,* soit dans des articles ou des préfaces, voire des lettres.

Pour lui — il le dit nettement dans *Le temps retrouvé* — « Le style (...) aussi bien que la couleur pour le peintre, est une question non de technique mais de vision. Il est la révélation, qui serait impossible par des moyens directs et conscients, de là différence qualitative qu'il y a dans la façon dont nous apparaît le monde, différence qui, s'il n'y avait pas l'art, resterait le secret éternel de chacun » (*T.R.*, p. 257).

Même si elles ne sont pas claires à première lecture, ces formules établissent que, pour l'écrivain, il y a d'abord la sensation. Elle peut devenir chronique, reportage, « naturalisme » ou « réalisme », selon les mots du temps. Elle peut aussi se muer en un *texte artistique,* qui est vision personnelle, *enchantement* musical ou pictural. Ajoutons immédiatement que le texte, c'est-à-dire l'art, suppose l'extase et souvent la mémoire involontaire, si fondamentales dès la rédaction de *Swann.* Et disons, d'entrée de jeu, que ce souci de l'écriture-vision donne à *La recherche* une allure, un rythme, qui détournent le lecteur pressé.

Un point de vue sur l'originalité d'un style, sur sa nouveauté, est développé dans *Le côté de Guermantes,* opposant au clair et classique Bergotte un nouvel écrivain qui le détrône : « Celui qui avait remplacé pour moi Bergotte me lassait non par l'incohérence mais par la nouveauté, parfaitement cohérente, de rapports[1] que je n'avais pas l'habitude de suivre » (*C.G.*, II, p. 27). Quelques lignes plus haut, il avait précisé : « Un nouvel écrivain avait commencé à publier des œuvres où les rapports entre les choses étaient si différents de ceux qui les liaient pour moi que je ne comprenais presque rien de ce qu'il écrivait. Il disait par exemple : "Les tuyaux d'arrosage admiraient le bel entretien des routes"[2] » (*C.G.*, II, p. 25).

Lisons donc Proust d'un esprit accueillant. Comme le « nouvel écrivain » dont il vient de parler, comme Bergotte au temps où le narrateur l'admirait sans réserve, il pense absolument que le style n'est pas application systématique d'une rhétorique figée, mais une formulation vivante, et pour tout dire aléatoire, c'est-à-dire qui naît en même temps que le récit. Écoutons-le une fois encore :

« Il en est ainsi pour tous les grands écrivains, la beauté de leurs phrases est imprévisible, comme est celle d'une femme qu'on ne connaît pas encore ; elle est création puisqu'elle s'applique à un objet extérieur auquel ils pensent » (*J.F.F.*, p. 152).

LA MÉTAPHORE PROUSTIENNE

Ce que le narrateur nomme des « rapports », ce n'est pas seulement la trouvaille narrative du simultanéisme passé/présent, que nous avons signalée précédemment, ce sont des « rapports de vision », autrement dit des « métaphores ». C'est une notion capitale de la stylistique proustienne, mais elle ne recouvre pas exactement celle de la métaphore de l'ancienne rhétorique.

On sait que la métaphore classique est définie — c'est d'ailleurs la signification étymologique du mot — comme un transfert de sens, et consiste à désigner quel-

1. Le mot est expliqué quelques lignes plus loin par un exemple tiré de Giraudoux. Voir la note ci-dessous.
2. Si l'on se reporte au texte de la préface à *Tendres Stocks*, de Paul Morand, on constate que, parlant ainsi, Proust fait allusion à « la merveilleuse nuit à Châteauroux » qui ouvre *Adorable Clio*, de Jean Giraudoux.

que chose ou quelqu'un à l'aide d'une autre chose ou d'une comparaison sous-entendue[1]. La métaphore proustienne est tout à fait autre chose. Il s'agit pour lui d'une *juxtaposition d'impressions*, d'un amalgame de l'abstrait et du concret, bref de ce que le point de vue rationnel sépare couramment, aboutissant à une sorte de phrase-spectacle.

UN EXEMPLE

Proust a parfaitement compris que le véritable tissu de l'existence est fait de mille fils — ou sensations —, qui se croisent, se mêlent, jusqu'à donner une étoffe-texte. Dans un tableau d'Elstir, par exemple, tout est mélangé. C'est d'ailleurs près de Balbec, dans l'atelier de ce peintre, précisément, que le narrateur de *La recherche* découvre, par le moyen, ici pictural, mais valable en littérature, la re-création du monde : « Naturellement, dit-il, ce qu'il avait dans son atelier, ce n'était guère que des marines prises ici, à Balbec. Mais j'y pouvais discerner que le charme de chacune consistait en une sorte de métamorphose des choses représentées, analogue à celle qu'en poésie on nomme métaphore » (*J.F.F.*, p. 492). L'exemple choisi est le tableau du port de Carquethuit. En voici l'essentiel :

> « Elstir avait préparé l'esprit du spectateur en n'employant pour la petite ville que des termes marins, et que des termes urbains pour la mer. Soit que les maisons cachassent une partie du port, un bassin de calfatage ou peut-être la mer même. (...) Dans le premier plan de la plage, le peintre avait su habituer les yeux à ne pas reconnaître de frontière fixe, de démarcation absolue, entre la terre et l'océan » (*J.F.F.*, p. 493).

Il s'agit évidemment d'une vision qui n'a pas pu se produire à la seconde même où le peintre, où un baigneur regardaient le port de Carquethuit. C'est une reconstitution artistique, une « condensation » comme nous disions plus haut, une sorte d'« instantané », de regrou-

1. Le disque d'or est la métaphore de la lune, par exemple.

pement de mirages. Mais ce sont de tels mirages, rapprochant des qualités communes à deux sensations — ou multiples — qui permettent, selon le narrateur, de dégager « leur essence commune en les réunissant l'une et l'autre pour les soustraire aux contingences du temps, dans une métaphore » (*T.R.*, p. 250). Ce sont de tels mirages qui, seuls, fournissent une réalité. On sait, pour prendre un exemple dans *Swann*, que de telles coïncidences (madeleine/thé) sont à l'origine du surgissement de Combray. Il y a transfert d'un monde dans un autre, de celui qui est accessible aux sens à celui qui n'est perceptible que par la mémoire involontaire et, puisqu'il s'agit d'un roman et de style, dans l'écriture. En somme, *pour Proust, le roman est, stylistiquement parlant, une suite de métaphores développées,* et le poète est le héros capable de les noter. Tous les autres moments sont du « temps perdu », au sens péjoratif du terme.

QU'EST-CE QU'ÉCRIRE ?

Écrire n'est donc point, pour Marcel Proust, comme on l'a dit bassement pour de sordides motifs politiques, s'appliquer à peindre un monde de snobs et d'aristocrates — monde envers lequel il est, du reste, sans pitié —, c'est au contraire, sauf lorsqu'il rapporte en style direct les paroles des guignols mondains, rompre avec un conditionnement verbal au profit d'une véritable création artistique. On passe, par exemple, des très concrètes tables d'un restaurant de Rivebelle à d'abstraites tables « astrales » (Cf. *J.F.F.*, p. 463). Pure virtuosité ? Nous n'en croyons rien. Il s'agit au contraire de l'application des théories du style de Marcel Proust. La *métaphore* reflète l'imaginaire proustien, c'est-à-dire *correspond à sa vie intérieure,* très riche en références culturelles.

PROUST ET LES LIVRES

Proust fut un grand lecteur. Il y aurait tout un livre, tout un gros livre, à écrire sur son classicisme, son romantisme et même son symbolisme. Ici, nous signalerons seulement quelques traces de ses lectures sur son style. *La recherche* est, stylistiquement parlant, une œuvre en marge des livres. On sait — Jacques Nathan et René de Chantal[1] l'ont amplement démontré dans leurs études — que Proust connaissait fort bien La Bruyère, Saint-Simon, les romantiques comme Musset, Hugo ou Vigny, et Mallarmé. Il faudrait cependant une longue étude pour retrouver toutes les références, allusions ou imitations proustiennes[2].

Proust ne les nierait sûrement pas, lui qui a écrit ces lignes qui expliquent tout un aspect de sa manière d'écrire : « Tant que la lecture est pour nous l'incitatrice dont les clefs nous ouvrent au fond de nous-mêmes la porte des demeures où nous n'aurions pas su pénétrer, son rôle dans notre vie est salutaire. »[3] Et quelques pages avant, il avait reconnu que « la lecture est au seuil de la vie spirituelle »[4]. Donc de la manière d'écrire. Son style contient des réminiscences culturelles, des tournures de phrases qui remontent de sa mémoire littéraire. Le texte proustien a une « tissure » livresque[5], c'est-à-dire une trame très souvent aux limites du pastiche.

PROUST ET LA DESCRIPTION

Parmi les portraits contenus dans *La recherche*, les plus classiques sont ceux de Mme Verdurin (*SW.*, p. 246-247), de Legrandin (*SW.*, p. 151-156) et de Charlus (*J.F.F.*, p. 393-396). La Verdurin « sur son perchoir » au milieu de son salon, c'est et ce n'est pourtant pas du La Bruyère. Comme dans les portraits brossés par ce dernier, il y a la simplicité de la phrase, la précision du vocabulaire, la

1. Jacques Nathan, *Citations, références et allusions de Marcel Proust dans* « A la recherche du temps perdu », nouvelle éd. Nizet, 1969.
René de Chantal, *Marcel Proust critique littéraire*, éd. des Presses de l'Université de Montréal, 1967, 2 vol.
2. Par exemple, sur les exceptionnels rapports entre la pensée de Proust et celle de Montaigne. C'est bien plus important que d'y chercher Bergson, qu'il repousse lui-même comme modèle.
3. *Journées de lecture*, in *Contre Sainte-Beuve — Pastiches et mélanges*, Pléiade, 1971, p. 180.
4. *Ibidem*, p. 178.
5. Voir *Marcel Proust critique littéraire, op. cit.*

progression dans la satire. Il y a aussi la « chute », c'est-à-dire les dernières lignes particulièrement acides. Mais il y a aussi les arabesques proustiennes qui empêchent le portrait d'avoir la relative sécheresse linéaire du style XVIIe siècle. La phrase est beaucoup plus longue, la parenthèse, marquée typographiquement par des tirets, tout cela est typique du style de Proust. Enfin le portrait de Mme Verdurin est beaucoup plus concret, ancré dans une réalité matérielle parfaitement vraisemblable, ce dont n'avait cure l'auteur des *Caractères*. La Bruyère peignait un « type » humain ; Proust peint une créature singulière, caricaturale peut-être, mais sans prétention à l'universalité. On peut tenir le même raisonnement en ce qui concerne le portrait de Legrandin, le snob de province honteux, le faux « jacobin » (*SW.*, p. 151-156). Même souci de montrer un personnage en action, comme un « Ménalque » dans La Bruyère, mais aussi intégration très proustienne du portrait dans une réalité provinciale, Combray. Et, surtout, présence du narrateur dans le tableau — ce qui est rarissime chez La Bruyère[1].

Plus typiquement proustienne encore est la présentation du baron de Charlus, au milieu de *A l'ombre des jeunes filles en fleurs* (*J.F.F.*, p. 393 sqq.). Rien non plus d'immobile ; tout au contraire est mouvement. Le portrait consiste en une série de prises de vues variées, comme ferait un cinéaste, avec travellings, plans et contre-plans. Le narrateur voit Charlus, mais il est vu par lui aussi (*J.F.F.*, p. 394) ; le narrateur se déplace ; il est présenté au baron. La variété des angles de prises de vues est très grande. Comme s'y ajoute l'ambiguïté — puisque ni le jeune narrateur ni le lecteur ne savent encore qui est vraiment l'étrange homme cambré — on découvre bien vite qu'il ne s'agit plus du tout d'un pastiche.

Le lecteur qui, dès la page 14 de *Du côté de chez Swann*, tombe sur l'évocation des diverses chambres où a séjourné le narrateur, a quelque raison de s'impatienter. C'est sans doute un lecteur d'aujourd'hui, habitué à

1. Un des rares exemples qu'on puisse donner, c'est la conclusion du portrait de Théodecte (*Les caractères*, V, 12) : « Je cède enfin et je disparais, incapable de souffrir plus longtemps Théodecte, et ceux qui le souffrent. » La Bruyère dit « je ».

la lecture rapide et au style journalistique, proche du style parlé. Or, on ne peut pas lire Proust avec plaisir si l'on n'accepte pas, au départ, le principe mallarméen selon lequel le poète, l'écrivain, ne doivent pas confondre la langue utilitaire et la langue de l'art.

LA PHRASE DE PROUST

Deux exemples suffiront pour illustrer nos propos, la phrase dite « des chambres » et celle qui décrit le visage de Charlus.

Qu'on se reporte d'abord à la page 14 de *Swann* : « Mais j'avais revu tantôt l'une, tantôt l'autre des chambres que j'avais habitées dans ma vie (...) chambres d'hiver (...) chambres d'été », etc. (*SW.*, p. 14-15). Il s'agit d'une rêverie sur les « nids » auxquels le narrateur a dû s'habituer, rêverie qui, on s'en souvient, prend naissance dans son esprit alors qu'il se trouve à Tansonville, chez Mme de Saint-Loup, c'est-à-dire Gilberte. Nous sommes de toute évidence devant une *construction en parallèle*, chacune des deux parties se ramifiant par l'utilisation banale mais subtile de propositions subordonnées relatives. On reproduit ci-dessous la décomposition du premier groupe :

CHAMBRES D'HIVER

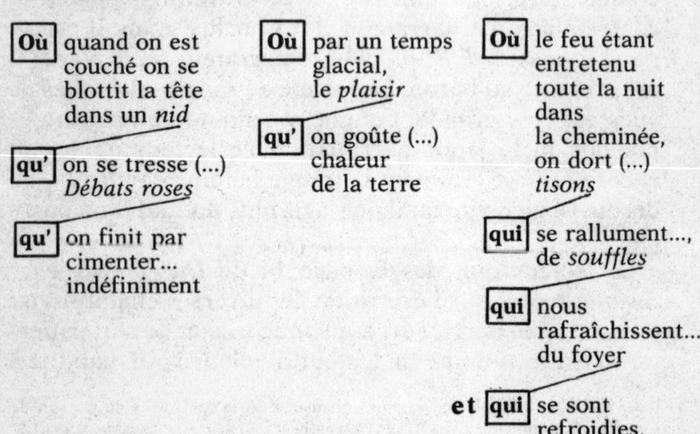

Théoriquement, une telle phrase pourrait continuer ainsi durant des dizaines et des dizaines de pages. Proust n'en fait rien. Il diminue, au contraire, la ramification des propositions dans les chambres d'été ; il utilise un point-virgule pour un léger repos ; il repart pour évoquer deux chambres en particulier : une chambre Louis XVI et une petite chambre haute de plafond (*SW.*, p. 15), utilisant à nouveau les embranchements.

A notre avis, la longueur du passage n'oppose guère d'obstacle à la compréhension, mais il est vraisemblable qu'il « passerait » mieux à l'audition qu'à la lecture des yeux. Plus difficile — et impossible ici — serait sans doute la reproduction graphique de l'énorme phrase de *Sodome et Gomorrhe* sur les homosexuels (*S.G.*, p. 22 à 26). Cependant, en utilisant une immense feuille de papier ou un grand tableau noir, on constaterait que la concaténation [1] grammaticale est la même, avec aussi des points-virgules, qui permettent la respiration. Enfin, au bout d'une période d'adaptation plus ou moins rapide aux thèmes proustiens, on constate, ainsi que l'a bien vu François Richaudeau, que « ce sont toujours les mêmes qui sont associés aux phrases les plus longues : le temps et la mémoire, le sommeil et la chambre (...). Comme s'ils avaient été précocement et intensément imprimés en l'esprit de Proust ! Et cela était associé, en lui, à une pulsion implacable d'extériorisation par la voie littéraire. » [2]

Le second exemple de phrase que nous examinerons, non pas à cause de sa longueur puisqu'elle est relativement brève, mais parce qu'elle est caractéristique d'un procédé que l'on nomme « phrase à trappe », c'est la description du visage de Charlus. C'est dans *A l'ombre des jeunes filles en fleurs.* Nous sommes à Balbec. Le narrateur a rencontré le baron le matin. Ce dernier ne lui a guère prêté attention. Or, devant le Grand Hôtel, le baron l'invite à venir prendre le thé chez sa tante, Mme de Villeparisis. C'est là qu'il peut observer à loisir ce per-

1. C'est-à-dire l'enchaînement.
2. Cf. l'essai *248 phrases de Proust*, par François Richaudeau, in la revue *Communication et langages*, n° 45, 1er trimestre 1980, p. 37, repris dans *Linguistique pragmatique*, éd. Retz, 1981, pp. 136 à 164.

sonnage qui l'intrigue, et ce regard si énigmatique qu'il semble cacher et révéler à la fois comme un secret. Nous reproduisons le passage :

« Mais ce visage, auquel une légère couche de poudre donnait un peu l'aspect d'un visage de théâtre, M. de Charlus avait beau en fermer hermétiquement l'expression, les yeux étaient comme une lézarde, comme une meurtrière que seule il n'avait pu boucher et par laquelle, selon le point où l'on était placé par rapport à lui, on se sentait brusquement croisé du reflet de quelque engin intérieur qui semblait n'avoir rien de rassurant, même pour celui qui, sans en être absolument le maître, le portait en soi, à l'état d'équilibre instable et toujours sur le point d'éclater; et l'expression circonspecte et incessamment inquiète de ces yeux, avec toute la fatigue qui, autour d'eux, jusqu'à un cerne descendu très bas, en résultait pour le visage, si bien composé et arrangé qu'il fût, faisait penser à quelque incognito, à quelque déguisement d'un homme puissant en danger, ou seulement d'un individu dangereux, mais tragique » (*J.F.F.*, p. 405). Comme celle des chambres, il s'agit d'une phrase qui utilise la figure de style nommée *suspension*, c'est-à-dire qui fait attendre une explication, une précision, par le truchement de réflexions, d'images, de comparaisons. Certes, il s'agit d'une sorte de tricot stylistisque dont le dessin n'est pas immédiatement discernable. Faut-il donc, quand on lit Proust, sauter par-dessus ces « ponts » comparatifs, circonstanciels ou obscurs ? Non, car ce serait se priver de tout ce qui fait, à notre avis, le charme du style proustien : les jeux d'analogies, les ampleurs méditatives, les références culturelles, poétiques, l'ironie, l'humour, sur lequel nous dirons quelques mots plus loin. Proust voit et nous fait voir avec cent yeux. *La recherche* n'est pas un roman d'actions, d'aventures. Qui s'y engage doit s'adapter au rythme, aux commentaires, aux digressions. Il ne peut y avoir de « lecture rapide » de Proust. Ce qui n'empêche pas notre romancier, familier des moralistes du XVIIe siècle, de savoir ciseler des maximes.

LES MAXIMES DE PROUST

Nous avons signalé l'existence d'un *Dictionnaire des idées dans l'œuvre de Marcel Proust*[1]. Par ordre alphabétique des mots retenus comme pivots nous sont offertes cinq cents pages parmi les trois mille de *La recherche.* Certes, certains mots clefs comportent d'énormes citations, plusieurs pages quelquefois, mais feuilletant ce gros travail, on trouve tel aphorisme, telle maxime apparue à la lecture du roman, mais pas nécessairement enregistrée. En voici quelques exemples : tout n'est pas d'une originalité indiscutable ; c'est seulement la preuve que Proust était capable de la brièveté classique.

Sur l'amitié :

« Il n'est breuvage si funeste qui ne puisse à certaines heures devenir précieux et réconfortant en nous apportant le coup de fouet qui nous était nécessaire, la chaleur que nous ne pouvons pas trouver en nous-même » (*C.G.II,* p. 115-116).

Sur l'amour :

« On n'aime que ce qu'on ne possède pas tout entier » (*P.*, p. 125).

« Laissons les jolies femmes aux hommes sans imagination » (*A.D.*, p. 95).

« L'être aimé est successivement le mal et le remède qui suspend et aggrave le mal » (*S.G.*, p. 266).

« Nous croyons aimer une jeune fille, et nous n'aimons, hélas, en elle que cette aurore dont le visage reflète momentanément la rougeur » (*A.D.*, p. 314).

Sur la jalousie et l'amour :

« Il se dit : "On ne connaît pas son bonheur. On n'est jamais aussi malheureux qu'on croit" » (*S.W.*, p. 418).

Pensées diverses :

« Un livre est un grand cimetière où sur la plupart des tombes on ne peut plus lire les noms effacés » (*T.R.*, p. 267).

1. Par Pauline Newmann-Gordon, aux éditions Mouton, La Haye et Paris, 1968.

« Le bonheur seul est salutaire pour le corps, mais c'est le chagrin qui développe les forces de l'esprit » (*T.R.*, p. 270).

« Le chagrin finit par tuer » (*T.R.*, p. 270).

DE L'HUMOUR PROUSTIEN

Nous ne voulons cependant pas terminer sur ces phrases mélancoliques. Le long roman de Proust est plein d'humour, d'ironie, voire de comique. Dans sa jeunesse, Marcel Proust était la gaîté même. Avec son ami Lucien Daudet, nous rapportent les biographes, « ils jouaient tous les deux à "Bouvard et Pécuchet" et collectionnaient les imbécillités des gens du monde, qu'ils appelaient leurs louchonneries »[1].

Devenu écrivain, Proust ne ménagea pas ces coteries, où « règnent » de parfaits sots, aristocrates, médecins, professeurs ou bourgeois parvenus. La satire sociale, dans *La recherche*, est l'occasion d'une mise en évidence des ridicules, source inépuisable de comique. Les calembours du docteur Cottard[2] ou ceux de Forcheville, voire des Guermantes sont du niveau d'un clown. On rit, on les applaudit dans les salons où ils fusent ; on rit, à la lecture, de voir rire. C'est ce qu'on peut appeler l'enregistrement du comique social, fruit d'un sens aigu de l'observation, d'une vision malicieuse, voire cruelle, du monde. Proust voyait le « tragique » de la vie, de l'amour et de la mort, mais il voyait aussi leurs aspects ridicules.

Le comique proustien s'exprime aussi dans de véritables petites scènes à plusieurs personnages. Qu'on se reporte aux bavardages chez la tante Léonie, aux dialogues entre Françoise et le jardinier, dans *Swann*. Mais il peut s'agir de scènes muettes, comme les pages sur les

1. Cette phrase est de Maurice Bardèche dans son *Marcel Proust romancier*, tome 1, éd. Sept Couleurs, 1971, p. 61, mais toutes les biographies concordent sur ce point.
2. Un seul exemple. Chez les Verdurin dînent tous les « fidèles ». Forcheville demande à Swann de définir l'intelligence. Swann ne répond pas tout de suite. Odette prétend alors que son ami refuse toujours ainsi de parler. Swann proteste. Odette dit : « Cette blague ! » et Cottard enchaîne : « Blague à tabac » (*S.W.*, p. 310).

monocles (*SW.*, p. 386-387) ou, chez la marquise de Saint-Euverte, celles qui détaillent avec humour une suite de valets de pied (*SW.*, p. 382-385). Enfin, il y a toutes les scènes animées par des conversations stupides ou prétentieuses. L'auteur imite les parlers emphatiques et creux de Norpois, ou de Legrandin (*SW.*, p. 147), les parlers incorrects du maître d'hôtel de Balbec. Il y a là toute une sélection de paroles révélatrices d'une ignorance prétentieuse, donc comique, d'un vide de la pensée camouflé sous des mots, donc ridicule. Nous sommes en présence d'un comique, comme disait Bergson, « que le langage exprime[1] » ou que « le langage crée[2] », comique que la littérature du milieu du XXe siècle retrouvera, par exemple, dans Raymond Queneau[3]. Encore ne faut-il pas oublier, puisqu'il s'agit de scènes, le comique d'un personnage dont la réplique tombe à plat. C'est le cas pour le pauvre Saniette (Cf. *S.G.*, p. 309).

Il n'est pas toujours facile, au long de *La recherche*, de distinguer l'ironie de la satire, le comique voulu et l'humour voilé. L'ironie et l'humour ont pour objet de repousser le sérieux qui s'attache à la « Comédic humaine », de détruire les certitudes — voir les propos sévères du narrateur contre la médecine et les médecins —, de ruiner la logique. Toute vision humoristique du monde commence par soi-même. Nous en avons un bel exemple avec cette remarque désabusée de Swann : « Dire que j'ai gâché des années de ma vie (...), que j'ai eu mon plus grand amour, pour une femme qui ne me plaisait pas, qui n'était pas mon genre ! » (*SW.*, p. 450). Cette raillerie contre soi-même, à la fin d'*Un amour de Swann*, est à notre avis du même type que celle des fameuses pages sur la « race maudite » (*S.G.*, p. 22 sqq.) des « hommes-femmes ». Ces dernières, pourtant, ont une coloration noire, comme l'humour du même ton, forme intellectuelle d'une distance que l'écrivain s'efforce de mettre entre des réalités pénibles et la conscience qu'il en a.

1. Bergson, *Le rire* (1900), in *Œuvres*, éd. P.U.F., 1959, p. 436.
2. *Id.*
3. Cf. *Exercices de style, Zazie dans le métro*, etc.

Conclusion

Parvenu au terme de ce « Profil », nous savons mieux que personne ce qui y manque. Par exemple, un résumé de la genèse de l'œuvre, une étude sur cette prise de conscience qu'a eue, dès 1902, Marcel Proust de devenir vraiment romancier, c'est-à-dire créateur de vies. Du moins avons-nous encore la place de citer une lettre[1] que Philip Kolb date du 20 décembre 1902 ; Proust écrivait à son ami le prince Bibesco cette admirable profession de foi d'écrivain, qui décide soudain d'abandonner ses contes, ses chroniques, ses études sur Ruskin :

> « Tout ce que je fais n'est pas du vrai travail, mais seulement de la traduction, etc. Cela suffit à réveiller ma soif de réalisations, sans naturellement l'assouvir en rien. Du moment que depuis cette longue torpeur j'ai pour la première fois tourné mon regard à l'intérieur, vers ma pensée, je sens tout le néant de ma vie, cent personnages de roman, mille idées me demandent de leur donner un corps comme ces ombres qui demandent dans l'*Odyssée*[2] à Ulysse de leur faire boire un peu de sang pour les mener à la vie et que le héros écarte de son épée. »

L'œuvre, alors, n'est pas encore mûre, mais Proust-Ulysse ne tardera guère à accepter ces « héros » qu'il va nourrir de son sang de cloîtré. Nous espérons que notre modeste travail aidera de jeunes lecteurs à pénétrer dans un univers magnifié par le souvenir, l'érotisme et la souffrance. Si cela était, nous n'aurions pas perdu notre temps, au creux de cette Toscane qu'aimait Proust et où nous achevons ces pages, à Colle Val d'Elsa, entre Florence, dont le nom a tant fait rêver l'auteur de *La recherche*, et Sienne, qu'il a plusieurs fois citée comme une des villes-refuges des artistes.

1. Cf. *Correspondance*, éd. Ph. Kolb, Plon, tome III, 1976, p. 196.
2. *Odyssée*, XI, 239-240, éd. Pléiade, p. 70.

Indications bibliographiques

Généralités

Deux critiques ont consacré une partie de leurs ouvrages à des bibliographies d'une minutie incomparable :

René de CHANTAL :
Marcel Proust critique littéraire, Éd. des Presses de l'Université de Montréal, 1967, tome II, p. 645 à 744.

Henri BONNET :
Marcel Proust de 1907 à 1914, supplément bibliographique, Éd. Nizet, 1959.

Marcel Proust de 1907 à 1914, bibliographie complémentaire, Éd. Nizet, 1976.

Éditions

A la recherche du temps perdu, Éd. Gallimard, 1980, collection « Folio », 9 volumes.
C'est l'édition à laquelle nous renvoyons pour la pagination.

A la recherche du temps perdu, texte établi et présenté par Pierre Clarac et André Ferré, Bibliothèque de la Pléiade, Gallimard, 1954, 3 volumes.

Correspondance

Correspondance de Marcel Proust, Éd. Philip Kolb, Plon, 6 vol. parus depuis 1970.

Lettres choisies de Marcel Proust, Éd. établie par Bernard Pluchart-Simon, Nouveaux Classiques Larousse, 1973. Bonne édition scolaire.

Études sur Proust

Elles sont innombrables, on en jugera par l'examen des ouvrages bibliographiques indiqués ci-dessus. Plutôt que d'opérer un choix, nécessairement injuste et subjectif, on se bornera à indiquer quelques titres que le proustien novice sera heureux, nous l'espérons, de connaître :

Léon GUICHARD :

Introduction à la lecture de Proust, Éd. Nizet, 1956. C'est le plus simple, et souvent le plus intelligent des guides pour qui aborde l'étude, voire, comme dit un titre trop modeste, la lecture de l'œuvre.

Jean ROUSSET :

« *Proust. A la recherche du temps perdu.* » C'est le chapitre VI de l'ouvrage, plus général, intitulé *Forme et signification*. Éd. Corti, 1962.

Chantal ROBIN :

L'imaginaire du « Temps retrouvé ». Hermétisme et écriture chez Proust. Collection « Circé », n° 7, Éd. Lettres modernes, 1977.

Georges POULET :

Études sur le temps humain, Éd. du Rocher, tome 4, 1968. Tout le chapitre XIII est consacré à Marcel Proust (p. 229 à 335).

Cahiers et revues

Cahiers Marcel Proust. Études proustiennes, publiés sous la direction de Jacques Bersani, Michel Raimond et Jean-Yves Tadié, Éd. Gallimard.
Ces cahiers comportent des études critiques, des publications d'ouvrages consacrés à Proust. Publication irrégulière. 9 numéros parus en 1980.

Bulletin de la société des amis de Marcel Proust et des amis de Combray, dont le siège est situé au secrétariat de la Société : Boîte postale n° 25 à Illiers-Combray (28120), France. Le « Bulletin » est envoyé aux sociétaires, mais il peut être acheté sans cette qualité, au secrétariat fondé en 1950. La collection complète du « Bulletin » comporte actuellement 31 numéros. On y trouve des inédits, des études critiques et des comptes rendus.

Revue d'Histoire Littéraire de la France : numéro spécial centré sur *Proust*. Éd. Armand Colin, septembre-décembre 1971. On y trouvera l'article de Pierre Albouy sur la mythologie proustienne, mais aussi de belles études de Jean Milly sur Proust pasticheur, d'Émilien Carassus sur l'« Affaire Dreyfus dans *La recherche* », etc. Ce numéro est épuisé, mais on le consultera utilement en bibliothèque.

Index des thèmes

Références au pages du « Profil »

Imprimé en France par l'imprimerie Aubin - 86240 LIGUGÉ
Dépôt légal : août 1984 — N° d'édition : 7185 — N° d'impression : L 16975